萧乾 主编

新编文史笔记丛书

第二辑

23

黑土金沙录

山右王田

◎黑龙江省文史研究馆 编

●张淑媛 王竞 柳彦章 主编

中華書局

目　录

人物逸闻

文事发轫

诗书撷英

艺苑拾萃

民俗掠影

珍异勺录

史迹寻踪

旧事杂记

新编文史笔记丛书

序

萧　乾

读书界向来对野史有所偏爱。野史大多是信手拈来的历史片断，且往往出自亲历者之手。文直事核，不虚美，不隐恶，而文笔潇洒自如，意味隽永，自然朴实，篇幅不长；可以摊开来仔细咀嚼，也可供茶余酒后、行旅倥偬中，随手浏览。

鲁迅在《华盖集》中，曾几次对野史表示过好感。在《忽然想到》一文中写道："历史上都写着中国的灵魂，指示着将来的命运，只因为涂饰太厚，废话太多，所以很不容易察出底细来。正如通过密叶投射在莓苔上面的月光，只看见点点碎影。但如看野史和杂记,可更容易了然了,因为他们究竟不必太摆史官的架子。"又在同书《这个与那个》一文中说:"野史和杂说自然也免不了有讹传,挟恩怨,但看往事却可以较分明,因为它究竟不像正史那样地装腔作势。"

全国文史研究馆所编的《新编文史笔记》丛书,内容也属野史杂说的范畴。我们希望这些以亲闻、亲见、亲历为主的轶事掌故、琐闻杂记,写人、事而摒除误会曲解,述历史而符合真实面目。

作为一种短隽有味,文字清奇而又雅俗共赏的文学体裁,笔记在中国具有悠久的传统。它始自魏晋,盛行于宋代。南朝刘义庆的《世说新语》,北宋沈括的《梦溪笔谈》,南宋陆游的《老学庵笔记》,明朝张岱的《陶庵梦忆》,清朝纪昀的《阅微草堂笔记》以及20世纪30年代初丰子恺的《缘缘堂随笔》,都是文学史上的奇葩。然而,近年来笔记乏人问津。因此,我们出这一套书,也包含着挽回颓势之意。

全国三十二所文史研究馆拥有雄厚的稿源,两千多位馆员和各馆联系的社会人士,都是丛书的撰稿人。他们都是文史界的耆宿,见多识广,阅历丰富:有的反对过帝制,有的在"五四"运动中扛过大旗,他们目睹过军阀的横行霸道,也经历过艰苦卓绝的八年抗战。这些历尽沧桑的饱学之士,他们的所见所闻,都是弥足珍贵的史料。

本丛书分辑出版，分别由各地文史研究馆编辑，内容亦以本乡本土为主。因此，各册势必具有浓厚的地方色彩。

本着笔记固有的传统，所收各文题材不嫌庞杂。举凡与文史有关的政治、经济、军事、文化、社会等方面，或记闻见杂事，或叙往昔交游，或忆社会百态，均在搜罗之列。时间跨度则自清末以迄1949年为止。这正是中华民族从闭关自守到走向世界，从落后羸弱到奋发图强，是天翻地覆、风起云涌的大半个世纪。其间，发生过多少可歌可泣的事迹，涌现过多少杰出的人物。以这一时间跨度为背景题材写出的笔记作品，必然是内容最为丰厚的。

在选稿标准上，我们坚持史料一定要真，内容要新；既要防止以讹传讹，也力避炒冷饭。在写法上务求短小精悍、生动活泼。每篇以千字为度，希望借此在文风方面，提倡一下简约。在版式上，则想做到既利于阅读，又便于携带。

恳切希望文史界方家及广大读者，不吝赐正。

袁崇焕后裔寿山将军

刘邦厚

清代黑龙江将军、著名爱国将领寿山，于1890年抗俄失败后，大节不屈，身殉国难。

寿山的爱国气节为后人所传颂，但却很少有人知道他是明末抗清名将、兵部尚书袁崇焕的后代。

从袁崇焕到寿山传八世，历明清两朝，越三百年。

一个几代为清廷效命立功的家族，竟是一位抗清英雄的后代，这在清代无论如何也是不宜声张或炫耀的，这大概就是袁氏家族长期密而不宣其远祖功业的原因。

到寿山父亲、吉林将军富明阿一代，已是袁崇焕的六世孙了。事隔久远，禁忌淡化，于是才敢于披露。

据《东莞县志》记载，富明阿从征江南，镇压太平军，在清军江南大营为参领时，曾向新安人士陈国泰打听袁崇焕的茔地在何处。当他听说有人于清明、重九代为祭扫时，密语曰："余督师(袁崇焕)六世孙也。尔祀吾祖，与兄弟何异?宜告乡人好为之！"

明末崇祯间，袁崇焕含冤下狱时年仅四十六岁，被处刑时无子。崇焕死后，其妻流寓河南汝宁，生子文弼。文弼是没有见过父亲的"遗腹子"。

清军入关后，文弼年长，因军功被编入宁古塔正白汉军旗。文弼在宁古塔生下袁尔汉，尔汉随萨布素从征雅克萨，遂留守黑龙江城，从此袁氏家族在瑷珲定居，成为军功显赫的瑷珲人。

在袁崇焕的七世后代中值得提及的，除富明阿、寿山为两代将军外，尚有寿山弟永山。永山在中日甲午陆战时，为黑龙江将军依克唐阿属下统领。他多次率先出阵，力斩倭敌，最后于凤凰城一战阵亡，成为袁氏家族中的抗日英雄。

瑷珲城的居民常称富明阿为"袁富将军"，可见寿山一家姓袁是家喻户晓的，只不过尚不知是袁崇焕的后人而已。

寿山将军招募义和团抗俄

齐锡鹏

清光绪二十六年(1900)5月间,黑龙江省城齐齐哈尔城乡各地出现了反对帝国主义侵略的义和团活动。义和团在城内设有成人、少年、妇女三处拳坛,首领张拳师率领团民积极练拳,每日都可听到“练会义和拳,打跑洋毛子”的洪亮歌声,群情激愤,斗志昂扬。

黑龙江将军寿山认定义和团是一股“皆极正派”的抗俄力量,因此,他指示在全省各地招募义和团,共同抗俄,并奏派齐齐哈尔城副都统萨保义为义和团练大臣,还命令所部“将旧存枪炮刀矛各种军械赶紧修理,并添子药配带等件,以备民团领用”。于是,黑龙江大地便出现了清军与义和团并肩战斗,共同抗击沙俄侵略的局面。

8月3日沙俄军进犯瑷珲城。瑷珲副都统凤翔率领三千清军英勇抵抗,二百多名瑷珲义和团战士密切配合清军顽强战斗。但终因敌我力量悬殊,寡不敌众,8月4日瑷珲失守。8月9日,清军与义和团退守二龙山。齐齐哈尔义和团首领张拳师闻讯立即率领义和团战士日夜兼程去增援。8月10日,张拳师带领几百名挥舞大刀

长矛的义和团战士与清军共同狙击敌人，毙伤沙俄军三十五人，战马四十六匹，沙俄军头目廉年卡姆普夫率残兵狼狈逃窜。8月13日，清军与义和团又在北大岭设下纵深四公里的伏击圈，再次沉重打击了侵略者。

寿山怒杀王焕

张　超

齐齐哈尔市龙沙公园内关帝庙侧，原有一座王工部墓。

墓主名王焕，字辅臣，浙江绍兴人。清末，以工部郎中出赞黑龙江将军寿山戎幕。1900年庚子之乱，沙俄侵略军大举进犯我国东北。署黑龙江将军寿山，奋起组织抗击，王焕却力主言和。他劝寿山说：清朝必然覆灭，不宜再为之舍死作战；清朝倒了，李鸿章必做国君，那时你就可以作开国功臣了。寿山听后十分恼怒，但为顾全情面，以派王焕到户部请饷为名，命其去京。途中王又驰书寿山，言“我幸脱险，公祸不测”。寿山大怒，立即派马队将他追捕回来。虽经僚属从中劝说求情，但未得寿山的宽贷。寿山在盛怒之下说：“清室倾覆与否，我固不敢知，然杀一王焕即少一王焕。”王遂被杀。

王焕死后，同乡将其葬于关帝庙侧。如今，

王工部墓已荡然无存，其事亦鲜为人知。

寿山将军之死

刘淑德

我是在寿山将军死后嫁到袁家，与其子庆恩结为夫妇的，对将军之死略知一二。

早在光绪二十年（1894），中日甲午战争期间，寿山将军与其弟永山，同在辽东战场，兄弟并肩奋力杀敌。永山英勇牺牲，寿山将军亦身负重伤。将军时年三十五岁。他目睹强邻入侵，国势日危，誓志御侮报国。

光绪二十六年(1900)，沙俄以保护东清铁路为借口，大举入侵东北，黑龙江地区首当其冲。当时，寿山署黑龙江将军，是地方的最高军政长官。他指挥守军与入侵俄军苦战，终因敌我悬殊，战事失利。俄军自夺取瑷珲后，长驱直入，所到之处烧杀抢掠，无恶不作。农历八月，俄军直逼省城齐齐哈尔，百姓扶老携幼，逃离家园，形势十分危急。寿山自感守城无望，“辜负国恩”，决心恪守“军覆则死”之义，准备全家殉国。

于是，他首先去抱我那个小名叫闺女的小姑妹。小姑妹当时只八岁，是袁家的掌上明珠。这时丫环正在室内给她梳头，将军上前说：“妞啊妞，爸爸领你到外面照镜子去。”他抱起闺女

就朝院内的大鱼缸走去，冲着满缸深水说:“妞啊妞!你照照镜子看好看不好看?”闺女说:“爸爸,好看!”说着,他就把闺女大头冲下扔了下去。家人见状极力上前抢救，老夫人也闻声赶到。此时,将军拔出佩剑,欲先砍闺女再杀老夫人。老夫人急上前抱臂把剑拽住。将军无奈,恼怒地说:“你们这是不想成全我呀!”

城将陷,已闻俄军炮声。将军愤恨已极,便吞下三只金戒指,躺在棺材里求死。但一时不得死,便厉声呼唤儿子庆恩给他添枪。庆恩不忍下手,但又深知父亲以身殉国、不与俄人见面的决心已定,便给当时在场的卫士于忠祥下跪,恳求他来添枪。于忠祥无可奈何,跪倒在棺材底下,冲上打了两枪。寿山将军就这样死去了。时为光绪二十六年农历八月初四日，将军享年四十一岁。死后由庆恩护送灵柩到老夫人故乡杜尔伯特旗小登科埋葬。

为了纪念他,民国十七年(1928),齐齐哈尔公众集资在齐齐哈尔市龙沙公园内建了“寿公祠”,以示对寿山将军的崇敬和景仰。

寿山与程德全的生死之交

王延华

1900年庚子之变，沙俄侵略军大兵压境，黑龙江将军寿山抱定殉国决心。他的好友幕僚程德全(办理将军文案、兼任银元局总董、营务处总理)亦准备和寿山同时殉节。寿山不准，并以未了之公事、私事嘱以重托。公事者，寿山嘱托程德全设法保全阖省军民数百万人性命财产安全，帮助萨都护收尾，不致兵溃为匪。私事者，寿山请求程德全为自己剖白沉冤。程德全不负重托，在俄兵欲以炮轰城时，挺身挡住炮口，阻止俄军攻城，又帮助萨都护疏散撤退的散兵。在敌人进驻将军府前，他将寿山将军的家属安全转移，在齐齐哈尔市北五道街袁家胡同买房十间，使寿山夫人、儿女、子媳数十口得以安身活命。“庚子之乱”后，程德全多次上书朝廷，奏明寿山“死事惨烈从容”，并在进京朝见时，面奏西太后及光绪帝，终使“两宫动容，不胜伤悼”，下旨“该将军(寿山)忠义殉难，实堪痛悼，着照将军例议恤，生前一切处分均着开复，附入伊父专祠，赐祭葬银一千二百两，应荫以骑都尉兼一云骑尉世职”。

板荡见忠臣，患难识朋友。寿公与程公的这段生死之交，堪为千古美谈。

清云阳程公以身御难之碑

王延华

在齐齐哈尔龙沙公园劳动湖畔，横卧着一块已无底座的残碑，碑身长230厘米，宽75厘米，厚25厘米。碑的上半部两侧各雕飞龙一条。额横排篆书“清云阳程公以身御难之碑”，文竖排楷书，计1109字，除边角个别字外，余皆清晰可辨。

碑文所记乃程德全在1900年庚子之变中挺身护城，誓死保民的事迹。庚子之乱，程德全受将军寿山委，任营务处总理。战事失利，朝廷命议和，寿山无奈，派程德全赴俄营交涉，以待朝命。程在俄营中，尽最大努力，挽残局，救民生。俄军欲整兵攻打省城，程以理力争，乃至怒拔剑欲自刭。俄众折服，遂议定俄军进城不开一枪，亦不得擅烧民房，妄残民命。但在俄军兵临齐齐哈尔至五里墩时，俄军指挥官听信通事(翻译)姜某谗言，谓城中有精兵数营将诱其聚歼，大怒，命架炮轰城。程知后，拼死上前，以胸口挡住炮口，言：“欲轰城，必先杀我。”俄兵把他从大炮上拽下来，再而三。俄众感公忠勇，停炮轰，省城得以无恙。

庚子之乱后，江省士庶感其恩，咸请曾任江

省都督的宋小濂以文纪其事。宋亦为公之举所动，于民国九年(1920)撰文成，并由徐鼐霖篆额，成多禄书丹，立“清云阳程公以身御难之碑”于省城仓西公园(今龙沙公园)，建遗爱亭(今仙鹤亭)覆之，以旌其功。

凤翔浴血奋战北大岭

吴文衔

1900 年 7 月，义和团反帝爱国运动席卷全国。沙俄借口保护中东铁路，在参加八国联军进北京的同时，又单独出兵入侵我国东北地区。奉黑龙江将军寿山之命，瑷珲副都统兼北路翼长凤翔，率清军和义和团在北路奋起抵抗，给俄军以重创。8 月 4 日，万余俄兵攻瑷珲城。凤翔面对优势敌军毫无惧色，率三千清兵在黑龙江上和卡伦山、二龙山等地与敌激战数日。终因敌众我寡，伤亡过重，不得不退到北大岭(距瑷珲 120 公里)。退却途中，凤翔见北大岭层峦叠嶂，为通往东北腹地的重要通道，即命令利用有利地势赶挖战壕，布置了四公里纵深的埋伏圈。8 月 13 日，俄兵至，以炮火轰击阵地。凤翔身着铠甲，骑乘骏马，冒着纷飞的枪弹，纵马挥旗，率清兵与敌厮杀。爱国清兵见到“凤”字旗在挥舞，士气大振，杀声震天。凤翔号召将士与阵地共存亡，他

自辰至酉,亲放枪四百余响,力竭不休。并命令:“有后退者,斩!”凤翔的英雄气概大大鼓舞了清兵的斗志,“俄之将士死伤无数”。

在俄兵大量增援后,凤翔右臂左腿受伤,鲜血顺着衣袖和裤管直淌,三次坠马,又重新跃上马背,坚持指挥战斗。终因流血过多,被左右扶送到营中抢救,当晚“呕血数升”,壮烈殉国,时年六十一岁。

清政府发配已故将领凤翔充边奇闻

张　超

1900年8月,为抗击沙俄入侵,瑷珲副都统兼北路翼长凤翔战死在北大岭。凤翔英勇顽强,誓死不屈,曾给俄军以沉重打击。俄侵略军头目气急败坏,于1900年10月占领吉林永吉县(凤翔的故乡)后,听说凤翔的尸体藏在这里,便在永吉县王家子屯挨户搜查,吵嚷着要找一个清军重要将领的尸体。当地群众任凭俄军百般威胁恫吓,谁也不说出尸体藏在哪里。

沙俄侵略军戮尸不成,便把怒气发泄在清政府身上。屈于沙俄的淫威,清政府明知凤翔已死,却在1901年4月29日谕令,以“镇压拳匪不力”,将凤翔发往极边,充当苦役。同年9月15

日，清廷再一次宣布：凤翔“发往极边，永不释回”，成为千古的一大奇闻。到1904年，有人提出要给凤翔解除处分时，清政府仍以“事关公约，必须各国使官均无异言”为借口，而“从缓置议”。

可是，人民群众敬重英雄。就在凤翔的家乡永吉县，建有一座三十丈围墙的墓地，内有石人、石马、石虎、石羊，还有雄伟的石碑。

庚子年依兰英三抗俄事迹

高式国

清末庚子年，沙俄向黑龙江依兰(旧称“三姓”)进军，占据东山，向城内发炮。官吏先自逃亡，人民惨死无数，井尸半满。独有佐领英三忠勇义烈，身先士卒，迎战于倭肯河西岸。枪炮不济，继以白刃。英佐领身受重伤，其子祥云负之逃退，英三大呼曰：“一将逃亡，全军无主，我宁死阵前，不死阵后，赶快背我回前线。”其子不听，英三大怒，咬其子之脖颈。行至三姓东门外，英三气绝，其子掩父尸于破墙间。

有此一战，俄兵虽则入城，延迟多日不敢过牡丹江一步。战后俄人着中国人清理战场尸体，故人民得知真相。据俄人所拍照，俄人用刺刀，清兵用匕首，双方拼死者不少。有一幅照片，一

个清兵两个俄兵，三尸鼎立，跪而不倒。七十年前我在同学英三之孙家，见过此照，以后失传。此次战役，虽然失败，却也为民族增光，使外国人知我国有铁血男儿在也。英三名英顺(顺字不准)，满族对长辈人不肯直呼名字，"英三"者，外人以行第呼之也。英三确实英雄，倘青史遗名，殊为可惜，特记于此。

李金镛单骑走江东

刘邦厚

清光绪十三年(1887)四月，清政府北洋大臣李鸿章派遣他的得意门生观察使李金镛去漠河督办金矿。

当时的黑龙江将军恭镗刚由西安调任不久，就不断接到瑷珲副都统衙门及江东六十四屯民户的呈文，呈报俄人不断强占民田牧场，严重影响中国居民生计，并一再发生土地争执事件。恭镗遂委李金镛会同瑷珲副都统成庆，代表中国政府与沙俄当局会勘江东六十四屯界址。

《瑷珲条约》、《北京条约》都规定了沿江东岸中国人居住的界线，及俄人不准侵占的条款。可是，由于俄人大批殖民江东，不断蚕食中国居民土地，虽经多次照会交涉，并由双方设立封堆、挖坑为界，但都不能阻止俄人向江东腹地的侵占。于是,进一步勘划江东陆界已成为广大旗民的迫切要求。

李金镛受委后,由漠河乘船返回瑷珲,不顾劳顿,立即渡江到江东,并且不带随员,“单骑独往,以探明情形”。这在当时可谓是一次冒险的行动。

李金镛的不凡举止和一腔南音,很快引起江东百姓的注意。于是,“各旗屯之男女老少,已载道来迎,历诉苦情呼冤求救”。李金镛深为江东旗民遭俄人侵害之苦而痛心。他去各屯查看了被沙俄侵吞的大片土地后,随即回到瑷珲,和瑷珲副都统成庆商量,决定与沙俄阿穆尔省总督约期会晤。

会晤中,李金镛向俄方陈述“俄民犁占旗屯情事”,坚决主张“挖壕以清界址”。他的主张,为俄方所接受,于是由中俄双方人员勘划了江东六十四屯东部174华里的界址,由各旗屯出民工挖掘,成五尺宽三尺深的界沟。南北二段,则由于俄官坚以“不能作主为由”,没有勘挖。

李金镛为国为民的行为,受到江东百姓的拥戴,对抵制俄人蚕食起了一定的作用。

满铁接待国联调查团

吴景林

1931年11月21日，国际联盟大会根据中国代表施肇基的要求，派调查团来东北调查日本帝国主义的侵略行径。调查团由英、法、意、德、美五国代表组成，英国李顿任团长。此外还有中国的顾维钧和日本的吉田伊三郎。

调查团于1932年4月20日到6月4日，在东北滞留了四十六天。5月9日到哈尔滨，住在马迭尔、格兰德、新世界等旅馆。

对调查团的接待，本应由东北的主权国中国负责，但此时东北已被日本侵占，日本外务省将招待事宜委托满洲铁道株式会社(满铁)办理。

满铁受宠若惊，立即使出浑身解数成立了准备委员会，网罗各部门各方面的人士，编造材料、慌报情况，安排接待旅行事宜。其行动本部，起名为"满铁临时联盟事务所"，原则上受本社总务部长指挥，下设庶务、旅馆、汽车、铁路、餐车、照片等六个班。

满铁对调查团一行所需火车、汽车、旅馆、食品是力求高档，免费招待。满铁总裁内田康哉还于5月28日在大连满洲馆设宴款待；29日在大连港外泛舟游览，以慰旅情。

满铁为犒劳调查团，施惠讨好，特制了三种纪念品，赠给调查团一行：

一、电影片：在满铁过去拍摄的表现自己“开拓业绩”和宣传“王道乐土”，以掩饰日寇侵华罪行的电影片中，编入此次调查团来东北活动部分，全九卷八千英尺，赠给李顿等五委员；

二、相簿：将调查团来东北所拍照片94张，制成41.3×31.5×5.5厘米大相簿，外有地图一、旅程表一、导游二、旅行通告一、菜单二、酒单一、报纸杂志稿五十七件、陈情书一册，分赠给五委员；

三、乾隆御制《盛京赋》图册：《盛京赋》是乾隆八年(1743)清朝最盛时期乾隆皇帝行幸陪都盛京(今沈阳)，目睹父祖发祥地，赞其山川秀美、人物风情绚丽所作的长赋。乾隆十三年，将此赋以满汉文篆体印制成册，是东西方印刷史上少见的珍品。满铁据奉天图书馆秘藏珍本影印，并附以英文解说，以满铁总裁名义赠呈五委员。名为赠送礼品，实为宣传日本非法占领为继承满清大统。委员们都称赞说这是“此行最大的收获”。

齐东野密呈《致李顿书》

姜晓春

日本帝国主义于1931年发动"九一八"事变，占领了我东三省后，当年12月"国际联盟"通过派李顿调查团赴满洲的决议。该调查团于1932年到达东北的哈尔滨、奉天(沈阳)、长春、齐齐哈尔等地进行调查。

齐东野是齐齐哈尔市一名爱国的教育工作者。齐市沦陷后，他随马占山退守海伦县，坚持抗日。当他闻知"国联"调查团欲来的消息，同许多爱国同胞一样，寄希望于"国联"的干涉。他返回齐市，奔走于亲朋好友和爱国人士之间，起草了一份《致李顿书》，由汉、满、蒙、回、朝鲜、达斡尔、鄂伦春等民族的五十余位代表签字。这份控告书慷慨陈词，揭露了日本帝国主义的侵华真相，指出"九一八"事变是日本蓄谋已久的侵华步骤；日军在东北到处烧杀抢掠，无恶不作；满洲国是日本统治者在东北的工具；溥仪是他们的傀儡；东北人民坚决反对成立伪满洲国等。

日伪当局对调查团的到来，十分紧张，事先就张贴布告，宣称："在未得政府允许皆不得与调查团会面"，并采取了阻挠、封锁、严密监视调查团活动和对与调查团接触者跟踪盯梢等作

法。

5月20日调查团到齐齐哈尔市，下榻于龙江饭店。齐东野在外侨朋友的帮助下，会见了调查团，呈递了《致李顿书》，并面谈了数小时。当他离开饭店时，看到许多便衣特务。为防止盯梢，他绕道而行。回到家中，立即更名为祁国昌，同时焚烧书信，连夜搬家。但当调查团6月4日离开东北后，齐东野立即被日本宪兵逮捕，连续数日被审讯，遭到严刑拷打。他咬紧牙关，不肯承认，终因无据而被放出。

翌年10月，"国联"抛出了以"国际共管东北"为核心内容的调查报告。此时，那些曾冒过生命危险，寄希望于"国际社会"干预的人们方才醒悟："国联"的醉翁之意乃在于"利益均沾"。

马占山毁家纾难

王曦亮

1932年4月初，马占山由黑龙江省城齐齐哈尔出走，返回黑河再揭抗日义旗，决心破釜沉舟，与日本侵略者决一死战，他做出了一系列令人瞠目结舌的非凡举动。

一天，他派人将过去租种他土地的佃户们找来，然后打开一只盒子，把里面的地契当场分给佃户，说："你们回去后把名字改过来，从今天起，这些地就是你们的啦！”佃户们捧着地契，简直不敢相信自己的耳朵，卫士们上前解释马主席的意图后，佃户们才泪流满面，千叩头万感谢捧着地契回去了。

接着，马占山又把在黑河经营的店铺、电灯厂、烧锅、粮栈都无偿地分给原来的伙计们经营，把自己心爱的马群、三百头牛、七百只羊也全部分给了亲友。

剩下的就是妻室眷属了。马占山把她们找来，对她们说："你们跟着我马占山享过福，也担过心。今天，我要到火里血里滚它一遭，能不能活下去还两说着。我给你们每人川资三千元，从今以后咱们就一刀两断，你们有亲投亲，有友靠友，改嫁、当尼姑我概不过问！"

话音刚落，屋子里立时响起一片唏嘘声，有的眷属干脆坐在地上嚎啕大哭起来，表示死活要和马占山在一起，吃糠咽菜、上刀山下火海也心甘情愿。马占山把眼睛一瞪，喝斥道："笑话！我马占山要上战场打鬼子，能带着娘们随营军中吗？你们只当我死了就是！闲话少说，快快去吧！"

眷属们更加哭哭啼啼，喊天呼地，连在场的卫士们也心如刀绞，忍不住流泪。马占山却把牙一咬，"蹭"地掏出枪来："你们如不走，我今天把你们统统打死，免得日后被鬼子俘去受辱，我也不必牵肠挂肚！"

卫士们深知马占山的脾气，连忙含泪劝解，各位眷属先后离开黑河，各奔他乡。

赵尚志不修边幅

原子明

提起赵尚志，“威震敌胆、名扬中外的民族英雄”几个字就浮现在人们的头脑中，以为他生得高大如金刚，雄伟似罗汉。事实并非如此。我在写作赵尚志传记时，采访过许多人，查阅过不少资料，都说他个子矮小，相貌平平。这一点，给他惹过麻烦，也帮过大忙。

1925 年冬，赵尚志怀着强烈的爱国热情，只身南下广州投考黄埔军校。各科考得都不错，但到体检时出了问题。原因是他个子太矮，加之他的家乡辽宁朝阳地方水土硬，身体发育有些异样，关节特别突出，走起路来歪歪扭扭的，因而考官不肯接收。赵尚志争辩道：“我是东北人。我是来革命的，你们不要——难道打军阀、打帝国主义，你们还怕人多么？”考官解释说：“不是怕人多，是你体格太差！”赵尚志恳求说：“体格差，那是先天带来的，没有办法；只要我经得起考验，不就行了么！若说当学生不行，替你们摇铃打钟当听差总该行吧！”争论得正僵的时候，走来一个政治部的教官，听了赵尚志的谈吐，看了他坚决的态度，转圜说：“让他留下吧！”于是这位后来声名显赫的抗日将领才得以入学。

1932年秋，日本人到处张贴布告捉拿赵尚志。这时他扮作乞丐潜入哈尔滨，走到桃花巷，见人们围着看布告。赵尚志也挤了过去，见布告上写着：捉拿赵尚志，赏钱一万块。赵尚志看完后，装着与己无关的样子打趣地说："我要是赵尚志该多好呀，能值一万块呢！够娶好几个媳妇了。"说完扬长而去，闻者哈哈大笑了之。

赵尚志当了抗联三军军长，仍然经常不洗脸。一天房东老大娘问他："脸上那么埋汰，为啥不洗？"赵尚志苦笑着说："国土沦丧，脸上无光啊！"

赵尚志担任北满抗日联军总司令，每逢部队换新装，他叫战士穿新的，自己穿战士换下来的旧衣服。有一次他带部队去抗联三军三师搞整编，地方救国会员们听说联军司令要来，争相出屯迎接，老百姓也都拥出来看。但部队快过完了，也没见到司令的影子。一打听才知道，赵司令早已进屯了。原来，他戴一顶破草帽，穿一身老百姓服装，骑一匹小黄马，走在部队前头。大家以为他是给队伍带路的呢。

赵尚志不从乱命

李　龙

抗日民族英雄赵尚志将军之父赵式如，热河朝阳县喇嘛沟(今辽宁省朝阳市尚志村)人，清末附生，饱读四书五经，以私塾为业。他推崇变法维新，是朝阳县南部百姓抗捐领袖、清乡会的领头人。据《朝阳县志》，当年赵老先生曾率清乡会众，严惩下乡加害百姓的警察，威震一方，后遭官兵抄家追捕，几经周折，全家逃至哈尔滨市落脚谋生。

赵式如与妻张效乾共有四子七女，他们对子女教育甚严，要求他们按孔夫子“非礼勿”的教诲，事事要占个礼字，还教导子女要见义勇为。日本侵我中华，二老又以“天下兴亡匹夫有责”相教诲。子女谨遵父命，以国事为重，投身革命。其中，三子赵尚志，四子赵尚武先后为国捐躯。

赵尚志是著名抗日民族英雄，北满抗日联军总司令，亲率抗日健儿驰骋在松花江两岸，狠狠打击日本侵略者。敌人恨之入骨，悬赏“万金”购其头，赵尚志遂有“一两骨头一两金，一两肉一两银”的身价。

1934 年 8 月 4 日，驻哈尔滨日本宪兵队在道外集良街二十六号赵尚志家中，逮捕了其父赵式如,妄图利用赵老先生诱逼赵尚志投降。日方先在伪《滨江日报》上发了“赵尚志老父被捕”的消息,继而大量印制《赵父告不孝子赵尚志及其弟兄书》,并用飞机散发到抗日游击区。

赵尚志在外抗日，家里早亦成为抗日志士的秘密据点。赵老先生被捕虽很突然,但也是意料之中的事。他们父子相约:效法春秋时魏颗父子“从其治命,不从乱命”的故事。倘子接父书,不必管信中如何说法,若见“乱命”二字相连,是被逼所写,万万不可坏大节,而应一心抗日,为国尽忠。

赵老先生被捕后,受敌人日夜威逼,无奈,修书一封,信中有“现在父身患重病,神志昏乱,命在旦夕”之语,巧妙地把“乱命”二字相连。当赵尚志将军看到敌人散发的老父书信时，胸中怒火燃烧,既为父亲遭受迫害担忧,又深深感激老父的良苦用心。他向将士们讲述了魏颗“不从乱命”的典故后,激昂地说:“这书信是敌酋企图动摇军心的阴谋。自古忠孝难得两全，我父教我,忠于民族,孝于人民,才是真正忠孝之大节。他抓他的，咱们应以更大的胜利为更多的父老报仇! ”此后,敌寇连遭惨败,北满抗日部队迅速超过万人。

在哈尔滨，家人变卖了全部家产，买通关节,赎出赵老先生。在亲友帮助下,全家出走关内,逃离魔掌。

抗联密营双结伉俪

魏毅奇

抗日战争时期，东北抗日联军第六军在帽儿山上平坦处（现朗乡林业局东风林场北六公里，巴浪河右岸），建有被服厂密营。

1937年6月28日，中共北满临时省委，在这里召开了为期十天的执委扩大会议。冯仲云、张兰生、赵尚志、张寿篯(李兆麟)等十三位代表参加。周保中以吉东省委代表身份列席了会议。

会议期间，有一段小插曲，为严肃的战斗生活增添了欢快的气氛。会议代表、六军四师师长吴玉光和被服厂女战士李桂兰，会议记录员、三军政治部宣传科长于宝合和被服厂女战士李在德，双双结成夫妻。吴玉光是朝鲜族，李桂兰是汉族；于宝合是满族，李在德是朝鲜族。在东北抗日联军中，这两对新婚夫妻的结合，体现出各民族在共同反日战斗中结成的珍贵友谊。

大会为他们举行了结婚典礼。被服厂的女同志，在大山上采撷了许多野山花，把会议室点缀得五彩缤纷。典礼由周保中主持。他祝贺不同民族的战士，在共同战斗中结成情谊浓厚的俦侣，愿新婚夫妻能像马克思和燕妮一样，互相帮助，相亲相爱，白头偕老。与会同志都祝福新婚夫妻美满幸福。接着，大家争抢着表演节目，尽情地说笑、唱歌、跳舞。

在会议室间壁了一间小屋，临时作为吴玉光、李桂兰夫妻的洞房。于宝合、李在德夫妻，在会议室外西北50米处，架起了帐子，临时做洞房。

在紧张的战斗中，两对抗联战士喜结良缘，成为军中喜闻。

我只知道他姓傅

朱新阳

1934年，李兆麟的哈东抗日支队联合义勇军"北来"的队伍攻打帽儿山，由于驻守日军拼死顽抗，双方均有死伤。但部队还是打了进去，缴获了一部分物资后撤出，路过双城县老九区时留下了十几个伤员，由当地反日会员傅某负责联系医疗护理等事宜。

帽儿山战后，日军四出"讨伐"，伤员们遂从老九区向东转移。我那时是珠河(今尚志县)共青团县委组织部长，在珠河县三股溜村一带活动。傅把伤员们暂时安置在去三股溜的途中，便只身先行，到三股溜找我联系。恰值这时日寇讨伐队包围了三股溜，把我们冲散了。讨伐队抓住了傅，从他身上搜出一支橹子枪，就厉声责问他是干什么的。为了保守秘密,避免麻烦,他索性就回答了三个字:“小线儿。”那时,当地称个人行动、“砸孤丁”的小土匪为“小线儿”。

日寇被这简单干脆的回答噎住了,再没往下盘问,随即举枪将他打死。

讨伐队走后,我回三股溜找他,听村里百姓讲述了这段事迹。他是一个普普通通的黑土地上的中国农民,反日会员,我只知道他姓傅,当时年约四十来岁。

舍生取义,大义凛然,英烈浩气,永存黑土。谨此志之。

王道尹筑堤修桥

孙 波

依兰县临牡丹江一侧江堤，全长约五里左右，据《依兰县志》记载，初乃王公所筑。

王公名瑚，字铁珊，河北定县人。清宣统元年(1909)经东北三省总督锡良保奏任吉林省东北路道尹。东北路即三姓地(今依兰)。三姓城居牡丹江、松花江、倭肯河汇流之间，地势四周高耸，中部低洼。由于历代统治者疏于防水筑堤，致使洪水成为依兰人民的大害。史载，自道光二十二年(1842)至清末的六十年时间里，依兰城竟遭七次洪水冲淹，有“水淹三姓”之成谚。

王公碑铭记："王公抵任即谓人曰：己酉松花江上游溢，今恐为下游患。乃于城西沿牡丹江筑长堤，公指挥匠役务极坚实。"王瑚素以勤政爱民著称，筑堤时，他每日亲临现场指挥监修，有时赤足抬土搬石。他的示范行为鼓励了筑堤的人们，长堤很快筑成。1911 年 7 月，天降大雨，江水猛涨，势欲漫堤，居民惊慌失措。王瑚与郡守唐公冒雨指挥人民昼夜抢修，使堤逐渐加高，挡住了洪水。

同年，王道尹发现依兰通往密山的官道中，韩家岗屯西河沟草甸子一带，有一片红眼哈塘，每逢春、夏、秋三季交通阻塞，不少行人、牲畜陷进泥塘丧命。王瑚想在此筑路架桥，苦于无钱。他微服私访，查知大地主赵学义霸占土地，除山地外熟地就有二千五百垧，荒地一千五百垧，而纳税土地仅七百垧。王道尹便传讯赵学义及其弟赵学和，当场指出隐瞒土地、偷税漏税的罪行。事实面前赵氏兄弟认罪。王瑚当即罚赵学义在半月内建起一座载重大桥，并责令其立即动工。王道尹还深入现场，亲自监工。不久，一座崭新的桥修好，道路畅通，百姓称之为"道台桥"。

朱庆澜为官清廉

康振祥

朱庆澜，字子桥，祖籍浙江绍兴。于民国二年10月至民国五年5月，先后任黑龙江省护军使兼民政长、镇安右将军督理黑龙江军务兼巡按使。虽供职时间不久，但很有建树，贡献颇多。

朱庆澜为政清廉。他奖励廉洁并身体力行，对各县和下属的贪污、徇私舞弊等现象，严加惩处，对本职以外的收入、馈赠一概拒受。当时黑龙江官银号是兼营工商业的金融机关，每年岁末，沿袭陋规向省军政首脑赠送二十万元，他将这笔钱款全部拨给女子教养院和博济工厂等社会救济和慈善事业使用；还制发“募捐启”，为筹建省立女子教养院募款，并率先捐款万元，以为倡导。他生活俭朴，外出时，常自带烧饼在路上充饥，衣着也极简单，终年身着军服。常于夜间出巡，有一次只身视察深夜归来，被守卫门岗阻拦，正在为难之时，卫士长来到解了围。守门卫兵恐受谴责，正不知所措，朱反而奖励他小洋五十元。朱来黑龙江时，带衣箱一只，军毯一床，离任时带去的也只是这些东西。群众赞称：“来时一肩行李，去时两袖清风。”

宋小濂宴请幕僚的一次讲话

谭彦翘

宋小濂,字铁梅。少年时成秀才,以家境困难,于光绪中在奉天(今沈阳)投军,受知于督理漠河矿务的李金镛,召任随办文案兼交涉外事。光绪三十年(1904),齐齐哈尔副都统程德全甄选边才,闻其贤,延入幕,任文案处总理。宣统三年(1911),任黑龙江民政使司民政使。辛亥革命爆发,巡抚周树模乞休,清廷以宋署任。他深知清廷之窳败,对预备立宪孜孜以求,拥护辛亥革命。民国元年(1912),受任黑龙江省都督兼民政长。是年秋,宋氏在都督府后的寄想园宴请幕僚,即席发表了一篇热情洋溢的拥护民国、主张法制的言论,受到幕客拊掌赞同。宴后合影,题名《寄想园雅集图》,工诗善书的张朝墉为它撰写了《图记》,《图记》全文以行书小字写在照片托纸的两侧,文可读,字亦精妙。

《图记》记宋氏谓幕僚曰:

"民国肇建,今将半载,循巴黎、华盛顿之治,法虽未猝能尽合,而文明输灌率以世界大同为归。以去年八月,武汉起义之时计之,诚不料去专制跻共和,绝影而驰,若是之易易也。吾与诸君尽一觞,且更进一说焉。今者,民国虽立,国

法定乎?未也。所贵乎民国者,恃有法律而已。官吏行法律,国民遵法律而民国立。官吏违法律,国民玩法律,而民国不立。法律者,所以保障人民而拥护国家者也。有形之法律,官与民守之必;无形之法律,官与民先守之,斯真法律之国,斯真民国之人矣夫!然后太和翔洽,而吾辈之幸福可常享也。"

据《图记》,参加宴集的幕僚有:寿州于驷兴振甫,云阳涂凤书子厚,乐亭高廷桢屏周,云阳谭士先心之,吉林成多禄竹珊,双城翟文选熙人,阿城荣升孟枚,奉化常荫廷括襄,榆树王莘林可耕,双城蔡运升品山,天门萧治东菊圃,武昌魏秉钧衡卿,龙江田维秀毓三,武昌范鸿勋尚之,吉林赵立行健庵,乐亭吕宗周献文,海城郑煜同甫,兖州杨琦瑁仲琇,怀宁刘自超彦遐,长春李景白星南,天门李允璋宝森,山阴金崇厚,伊通杜瑞霖润凡,以及张朝墉等共二十四人。

张朝墉取号"半园"的由来

张　超

程德全在署任黑龙江将军时,感到龙沙古漠地处徼荒,"边塞无佳境",乃派幕僚张朝墉在城西广积仓基地修建公园。在张氏主持下,薙阜为台,凿池其下,横卧长桥,艺树莳花,又筑亭、台、花坞,配制景点,建成初具规模的边塞公园。因地处城西仓址,故称“仓西公园”。

建园不久,沙俄政府选择驻齐齐哈尔领事馆馆址,看中了仓西公园的幽美环境。于是强占了公园内的中间部分,筑起高大围墙,并挖了界沟,还规定中国人不得越界。这种霸道行径,激起了齐齐哈尔人民的义愤。主持建园的张朝墉见自己规划的园林被强邻占去了大半,更是愤恨不已,遂取别号“半园”,表达他的义愤。魏毓兰有诗云:“俄馆森森万木青,半园谁拓豁空冷。当年疆土绸缪意,无复人知未雨亭。”前两句是说沙俄使馆占据公园的半部,后两句是指应未雨绸缪,预防边患。薛铨庆也有“一园余半壁,南北划鸿沟”的诗句,都表达了当时人们的愤慨心情。

詹天佑争路权

郑长椿

1917年苏联十月革命成功,美、英、法、日等帝国主义国家感到极大的不安,决定实行武装干涉,出兵西伯利亚,并于1919年1月,在哈尔滨召开“监管远东铁路会议”,借口“俄国自1917年后没有正式政府”,阴谋组成特别委员会监管西伯利亚铁路及中东铁路。监管中东铁路涉及

到中国的主权，当时中国政府派刘镜人出席了这次会议。

监管委员会下设技术部于哈尔滨，由出兵西伯利亚各国的铁路专家组成。中国政府选派我国最早的、杰出的铁路工程师詹天佑参加监管委员会,并任他为技术部的中国代表。詹天佑当时是交通部技监，汉粤川铁路局督办兼总工程师。他开始不愿担当这个职务,在未来哈尔滨之前,曾向交通总长面辞。但总长说:“现在我国要争回东三省铁路的管理权，需要曾经当过工程师并有丰富经验的人前往，方能担任起与外国的交涉重任。”因此,詹天佑于 1919 年 2 月末,毅然北上到哈尔滨。他深知和帝国主义打交道是一项很艰巨的任务，同时也估计到在委员会中争取中国权益不是一件容易的事，所以他邀请好友——工程师颜德庆、俞人凤作为他的助手同来哈尔滨。

在委员会各次会议上，詹天佑竭尽心力和帝国主义国家的代表作针锋相对的斗争。他坚决反对由所谓协约国监管远东铁路委员会来监管中东铁路。他指出,中东铁路原系中俄两国合办,而中国又是大战的参战国之一,并有保持该铁路秩序的能力,所以中东铁路应归中国管理。但由于各帝国主义国家代表的反对，和当时北洋政府的腐败无能,他虽尽了最大的努力,仅仅争得中东铁路可以雇用中国工程师的权利。

詹天佑在哈尔滨工作期间,终日看资料,写

发言稿，忙于出席会议。由于疲劳过度，又加上天气寒冷，饮食不调而患病。1919 年 4 月 15 日离开哈尔滨急返汉口住院治疗，但为时已晚。同年 4 月 24 日，在汉口仁济医院逝世，终年五十九岁。

詹天佑逝世的消息，震动了全国各界。吉林省长兼中东铁路督办郭宗熙发起，于 5 月 22 日在哈尔滨铁路俱乐部举行了有中外各界人士参加的詹天佑追悼大会。他的爱国主义精神和艰苦奋斗、认真踏实的工作作风，给哈尔滨各界留下了深刻的印象。

先父李立三轶事二则

李人纪

投笔从戎

1916 年先父李立三在长郡中学念书，毕业后，看到国家破败，人民痛苦，感到无比悲愤，就再不肯念书了，老是吵着往外跑。祖父安排他教书，不干；给他娶亲，也没用。一次把他锁在书房里，结果他留下一首诗："浩气横牛斗，如焚痛国仇。诗书从此别，投笔效班侯。"跑到程潜那里当兵去了。

解放后我们问起这件事，父亲说：那时就是

知道要革命，要救中国，但究竟怎样革命，并不清楚，只是瞎闯。听说程潜的军队是革命军，就跑去当兵。初去，要我在司令部当文书。有一次，程潜在下棋，我刚好进去有事，站在旁边看着，忍不住插了句嘴，程很奇怪，问："你这小孩也会下棋吗？"我说："会一点。"他就要我和他下一盘，结果他输了。便问起我的来历，听完，他说："你父亲我很熟，你这么小跑来当兵干什么！赶快回去读书吧。"事后他果然写了封信，并给了一笔钱做学费，让你祖父把我领回去了。

寻求救国救民之道

先父被祖父找回家时(1917)，正值北洋军阀张作霖打到醴陵，他只得帮同家里往萍乡逃难，思想极为苦闷。一天逃到醴陵东乡温泉镇，父子俩为他要离家的事吵到了深夜，最后祖父以"望月不见"为题罚他做首诗。父亲触景生情，提笔写道：

"今夕不见月，万里关山黑。我乃断肠人，对此增凄恻。前年今夕客潭州(潭州即长沙，指在长郡中学读书)，浮云相侵常出没；去年今夕羁徭戌(指在程潜部下当兵)，黑气漫天伏光慝；今年今夕复不见，使我温泉悲落魄。我命固多舛，汝何频悒悒？相知我最深，相见常相惜。相处二十年，相对常默默，见汝我泪垂，别汝泪痕赤。吁嗟乎，今夕望汝汝不来，明年今夕相见何方测？"

从整首诗看，是以"月"作为革命的光明的

象征，抒发自己迫切地反复追求的心境，哀惋动人。祖父看了深为感动，便答应他到北京去考北大预科。哪知父亲的心全不在读书上，到北京后不久，便参加赴法勤工俭学，继续寻求救国救民之道去了。

莫德惠撕书断亲

马亚川　(据莫德惠侄松山由笔记)整理

“九一八”事变后，日寇在东北成立了伪满洲国。当时莫德惠正在苏联莫斯科同苏谈判，得知家乡故土被日本占领，心情非常沉重，泪流不止，时刻惦念家乡父老遭受的涂炭。他很想得到家乡的书信，了解详情。

忽然有一天，莫德惠的亲家于深澂(外号于大头)秘密派人到苏联给他送来一封信。于的大女儿，是莫德惠的长儿媳。亲家在这时刻给他写信来，使他非常欢喜。赶忙拆开一看，却是劝他回国当汉奸，心里凉了半截。只见信中写道：东北已建立满洲国，“请驾”宣统溥仪当皇帝，清室的郑孝胥、罗振玉、胡嗣瑗、陈增寿、宝熙等都来辅佐皇帝。汝是满族贵族，又是将军之子，应速归来，辅佐溥仪皇帝。溥仪皇帝定能封汝高官厚禄，光耀门庭，亲家跟着沾光。何况张景惠、熙洽、臧式毅、张海鹏、蔡运升等同僚旧属都投靠

了满洲国。尤其是中东铁路已收归满洲国所有，你的督办官职自然消逝，不来投靠满洲国，投靠谁哪？回归国民政府，栖人檐下，能得烟抽？更应看到，张作霖死后，少帅势孤力弱，无地栖身，自身难保，靠他已靠不了啦！再说，国民党执政当权，岂能重用汝无党无派者乎？事关前途大事，亲家奉劝，应速抉择……

莫德惠越看心里越气，咕咚一声，栽倒在地。亲随人员赶忙呼唤，好半天才苏醒过来。将于大头送来的书信，不再看完，撕个粉碎。随手拿笔写了断亲书。书中说："原是亲来今是仇，汉奸辱亲实可羞；快刀斩断亲家线，汝是人民死对头！"写完看看，觉得意犹未尽，又写道："汉奸卖国自求荣，甘当走狗坏门庭，引狼入室万人恨，万古千秋留骂名！"

写好后，令送书人带回。从此，莫德惠和于大头断了亲。

莫德惠在国民参政院会上大哭

马亚川

1943年，莫德惠担任国民参政院主席后，在4月2日国民参政院讨论"筹设东北难民救济委员会"的会议上，参政员孙哲生发言说："东北人民在日本帝国主义统治下，过着牛马不如的生活……”坐在主席台上的莫德惠听到这儿，失声痛哭起来。

莫德惠一哭，台上、台下的参政员们忽地一下都站了起来，惊疑地问：“莫主席怎么了？莫主席怎么了？”

正当人们惊疑时，黄炎培站了起来，说：“诸位请坐下，让莫老哭个够吧。莫老对东北的怀念，对家乡遭受日本帝国主义的侵略，人民过着亡国奴的生活，感到非常的关怀和痛心，只要一提起东北，莫老非痛心地哭泣不可。”

事后，人们才知道，莫德惠在莫斯科和苏联代表加拉罕举行会议的时候，听说到日本帝国主义侵占中国东北，家乡沦陷，也曾放声大哭，一连多日泪水不断。

马氏子女记遁园

马淑贞　马维邦　马维圃

举家齐下野

遁园，就是哈尔滨老百姓口中常说的马道台花园或马家花园。它是20年代初家父马忠骏当交涉局总办兼东省特别区市政局长时创建的综合性农场，父亲晚年以遁园自号。他虽然在北洋军阀混战时就想归隐，但他真正搬到遁园务农，却是“九一八”事变以后的事。

1932年春哈尔滨陷落了，因为父亲支持过马占山抗战，又拒绝出任伪满大臣，日本当局就以通匪和反满抗日为名逮捕了他，关押在宪兵队，还不许家人探视，逼他就范。父亲以绝食抗议。敌人没办法，只好允许家人送饭，这项工作就由我(马淑贞)和侄女马佩莲担任。

父亲被单独拘押，牢房窗户被木板钉死，很暗，他挨了打，腰带、腿带被解去。目睹这种景象，我和佩莲忍不住落泪。父亲说：“哭什么?我死不要紧，不能给子孙留骂名，回去告诉家人，举家齐下野，谁也不许给鬼子干事。”

是我儿子就讨饭去吧

我(马维邦)遵父命，举家齐下野后在克山县种地，但不会经营，还有嗜好，生活越来越艰难，没办法只好到哈尔滨找父亲，想谋个差事。父亲说：“明天答复你。”

第二天早晨我来到父亲书房，只见桌上摆着一根木棍，一只柳条筐。他对我说：“工作找好了，棍子可打狗，筐可装饭，是我儿子就讨饭去吧。”面对父亲的凛烈正气，我立即返回克山，在农村熬过伪满十四年，土改时还划了个贫农成分。

打死你这不孝之子

我(马维圃)国高毕业后想上大学,学点科学技术将来安身立命。但伪满哪有像样的大学?我家又被监视(有日本特务住在我家)。只能去日本留学。我说:"爸爸,我想上日本……"话一出口,父亲就炸了, 他说:"你要领一个穿呱哒板的老婆吗?我先打死你这个不孝之子。"一顿文明棍打得我无法申辩,只好等他消了气才解释清楚。留学回来我和兄弟们一起帮父亲种地、栽树、养鸡,就是不为伪满做事,直到解放后才参加革命工作。我终生感谢父亲教我清白做人。

民初云南督军兼省长唐继尧

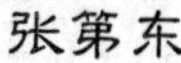
张第东

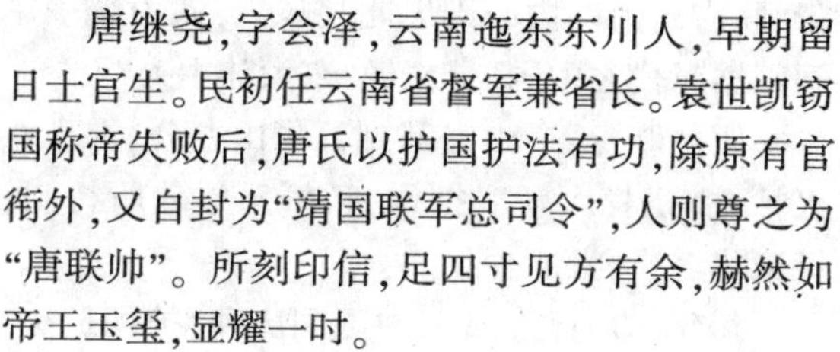
唐继尧,字会泽,云南迤东东川人,早期留日士官生。民初任云南省督军兼省长。袁世凯窃国称帝失败后,唐氏以护国护法有功,除原有官衔外,又自封为"靖国联军总司令",人则尊之为"唐联帅"。所刻印信,足四寸见方有余,赫然如帝王玉玺,显耀一时。

唐自称"总司令"后,招兵买马,扩充部队,并成立"翊卫队"和"佽飞军"各一营为卫队。"翊卫队"着浅黄色军服,头戴大盖红沿帽,身背皮背包,腰束子弹盒,肩扛刺刀闪闪发光的法造步枪,足穿黄色长筒大马靴,颇为威武。“佽飞军”,手执红缨枪,黑杆银头,十分锋利,宛若古代武士;身斜背马步枪,腰系子弹盒,脚穿黑色马靴。士兵均魁梧奇伟,令人望而生畏。

昆明市中心五华山上,既是督军署、省政府所在地,也是唐氏的联军总司令部,四面围墙高峙,防守森严,别成天地。五华山军政官署所在地,东西有便门,供一般人员出入。南大营门直通南城门,为唐出入之所。唐下令将城楼左右城墙拆除,辟为市街。将城楼改名“近日楼”,由清末状元袁喜谷书匾悬其上。有谓唐暗含“南面而王,红日高照”之意。北(后)大营门通北门街,街中有唐氏花园式官邸一幢, 中式二层楼房三排共二十余间,雕梁画栋,宽敞别致,一般称为北门唐家花园,而唐则命名为“东陆花园”,因其自号为“东陆主人”。其所办大学一所,亦称“东陆大学”(今云南大学)。人谓唐氏野心极大,表面主张“联省自治”,内心则思叱咤风云,武力统一军阀割据时代之中国,梦想做“东大陆主人”。

唐体胖身重,由官邸到五华山办公,乘坐八人抬之“拱杆大轿”,据说,轿杆系象牙所特制,极豪华名贵,世所少见。

每年 10 月 10 日旧中国国庆和“护国护法”纪念, 唐必召集文武官员和士绅在近日楼开会庆祝。会前数小时,命其所经正义路抵南城楼一带街区,用木杆横置于街道两旁屋檐上,上覆白布，名曰："缦天过海"。唐赴会时，沿街警卫森严，"佽飞军"布满街道两旁，面向铺面而立。他坐着拱杆大轿，身着军大礼服，昂首其中。"翊卫队"和"佽飞军"前呼后拥，缓缓而行。轿后还跟随一匹毛黑如缎之高头大马，颈系红缨、头系金镶笼头，革鞍、金镫，耀眼夺目，招摇过市，路人无不侧目而视。此乃1922至1925年间，我在云南昆明市省立第一中学读书时所亲见。

唐晚年养尊处优，沉溺酒色，野心未得实现而亡。

冯玉祥激动人心的募捐讲话

李北开

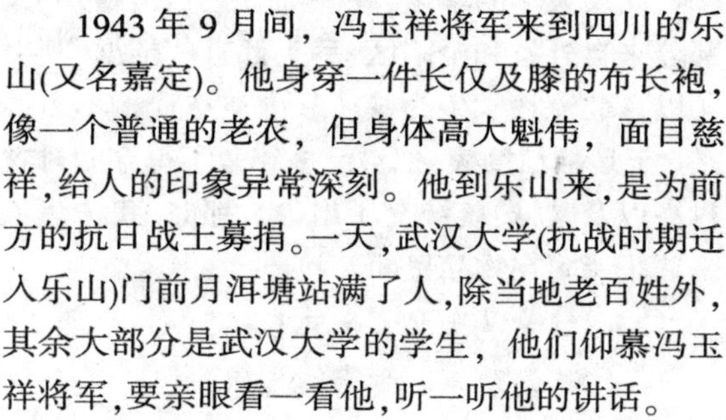

1943年9月间，冯玉祥将军来到四川的乐山(又名嘉定)。他身穿一件长仅及膝的布长袍，像一个普通的老农，但身体高大魁伟，面目慈祥，给人的印象异常深刻。他到乐山来，是为前方的抗日战士募捐。一天，武汉大学(抗战时期迁入乐山)门前月洱塘站满了人，除当地老百姓外，其余大部分是武汉大学的学生，他们仰慕冯玉祥将军，要亲眼看一看他，听一听他的讲话。

冯玉祥将军的讲话很感人，既幽默又深刻。他针对当时国民党政府的一些弊端，道出了人民心里想说但又不敢说的话。他说："前方战士流血,后方达官老爷们却是满嘴冒油。前方战士是有啥吃啥，后方的达官老爷们却是吃啥有啥。”听着听着,群众心情激动了,热烈鼓掌,有的还流下了眼泪。

冯玉祥将军接着说，过去募捐送给前方战士的,开始是这么大包(他用手比划着),交到上面是这么大包（他又用手比划着，已较前缩小了),最后送到战士手里的是这么大包(仍用手比划,更小了)。群众激愤了,整个会场为“无耻！”“无耻！”的口号声所淹没。

冯玉祥将军这时也激动了，他最后流着眼泪向群众说:“请大家放心，这次我冯玉祥为前方战士募捐,现在这么大包(他用手比划着),最后交给战士的仍是这么大包(用手比划着,同第一次一般大)，这个包由我冯玉祥亲自送到战士手里。”讲话之后,出现了激动人心的捐献场面。

武汉大学的学生,除一部分是四川籍外,大部分来自外省和沦陷区,手头都有些拮据,其中尤以东北流亡学生为甚，袋内空空，掏不出钱来。于是翻箱倒箧,把自己多年舍不得穿的衬衣衬裤以及鞋袜,统统交了出去。那时,我曾写了一首小诗附在物品里面：

这是从东北带来的衣裤，
这是从东北带来的鞋袜，
穿上它,穿上它,
打回东北,打回老家……。

马寅初舌战“群儒”

李新邦

1943年春季，当时的“中国经济学会”在重庆北碚召开大会，讨论抗战时期的社会经济。马寅初先生是这个学会的会长，也来到北碚并主持会议。但是，因马先生反对蒋介石消极抗战的政策，当局禁止他教书和公开活动。所以，在这次会上，国民党不准马先生在主席台上正式出面，只准他在主席台后听会，改由陈其采(国民党政府的主计长)主持会议。

那个时期，正是国民党统治区物价不断飞涨，“四大家族”大发国难财，人民大众极端贫困，国民经济急剧恶化，抗日战争坚持维艰的时刻。但是，在这次会上，却有一些御用的“经济学家”，利用大会讲坛为国民党涂脂抹粉，粉饰太平。其中一位抛出了“通货膨胀、高物价可以刺激经济发展，有利无害”的荒谬发言，其他御用学者群起呼应，引起了许多到会正直人士的不满。马寅初先生更为气愤，他在当晚约了重庆大学和复旦大学两校学生代表团的部分同学，在他下榻的房间开了一次小型座谈会，研究如何驳斥这种谬论。我是重庆大学的学生代表之一，参加了这次座谈会。他勉励我们学生要挺身而出，与会上的反动言论作斗争。于是两校同学经过讨论，决定用两校代表团的名义，联名向大会提出一个提案，大意是：吁请全国经济学家研究士兵、农民、工人的经济情况，列举马先生的一些论点对反动观点进行批驳。次日，提案用书面提交大会后，两校同学推举我为代表作提案说明。我因水平有限，说得比较简短，并不尽意，但因气愤，情绪激昂，也算得上是慷慨陈词了。然而，大会主席陈其采在我发言不久，就站起来挥手阻拦，说："不要讲了！"会上持反动观点的人也立刻纷纷向我反扑，说什么通货膨胀，物价上涨，刺激了人们的经商热情，所以现在"大后方"的市场非常活跃，连沦陷区的物资都被吸收进来了等等。这时，马寅初实在忍不住了，就从幕后走到主席台前，针对这些言论义正词严地指出：现在的通货膨胀，是滥发钞票的结果，实际是用毫无价值的纸币搜刮劳动大众的物质财富，吃人不见血，残暴无比。通货膨胀带来物价飞涨，确实有人在利用物价飞涨囤积居奇，从沦陷区通敌走私、倒买倒卖，经商而获厚利。但这些人都是豪门望族、贪官污吏、奸商巨贾，老百姓只是被剥削，国家也并未获益，抗战大业却受到严重戕害，能说这是国家经济的繁荣吗？他还语重心长地说：我国现在经济的真实情况，不能看发"国难财"的人们如何"兴旺发达"，而应以广大工农士兵和老百姓的生活水平为判断标准。这就是两校同学这个提案的深刻涵义。最

后，他对着一位在场持反动观点的“学者”质问道：“在全世界的经济学家中，你能指出哪一个人说过通货膨胀、物价飞涨是有益无害的话吗？”被问者哑口无言，其他鼓噪者也都噤若寒蝉。会场气氛立刻大变，大多数与会人士都感到痛快，出了一口气，鼓掌不已。在会后走向食堂的途中，章乃器先生笑着对我说：“你还颇有乃师风啊！”大约也是高兴情绪的流露吧！

马寅初六十岁的祝寿会

李新邦

马寅初先生(1882—1982)是海内外著名的经济学家、教育家，也是一位有丰富实践的革命者。他一身正气，追求进步，为民执言。1937 年至 1940 年他任重庆大学商学院院长兼教授时，我在该学院就读，曾亲受教诲。马寅初不畏权势与强暴，以公开演讲、写文章等方式对蒋介石消极抗日、积极反共大加抨击，对孔祥熙、宋子文等人指名道姓，提出应对他们征收“临时财产税”。蒋介石曾多次利诱、威胁他，企图扼杀他的正义呼声。马寅初均不为所动，继续奔走呼号，进行宣传。遂于 1940 年 12 月 6 日被捕，先后被囚禁在贵州息烽和江西上饶集中营中。

1941 年农历五月九日是马寅初的六十寿

辰，学生们为抗议对他的逮捕，向社会说明真相，造成影响，决定提前于公历3月30日举行“遥祝马寅初六十寿辰大会”，事先在重庆部分报纸上登出启事。这当然触怒了国民党当局，蒋介石亲自过问，下令停登启事；陈布雷以“手谕”责询学校，实际是指令学校禁止和破坏大会的召开。开会的那天，学校的会议室和大教室都上了锁，停了电。但是，学生们仍然弄开了一间较大的教室，布置了祝寿会场。会场正面是“明师永寿”四个大字，四壁挂满了各方面送的寿联、寿幛，其中以周恩来、董必武、邓颖超联名送的“桃林增华坐帐无鹤，琴书作伴支床有龟”和《新华日报》送的“不屈不淫征气性，敢言敢怒见精神”两副对联最引人注目。会场没有电，我们就点燃了大量蜡烛，气氛反而更为庄严肃穆，使大家更加深了远怀遥祝的情绪！

有近百名同学参加了这个“遥祝会”。到会的还有沈钧儒、邹韬奋、潘梓年等各方面著名人士和当时的“中苏友协”会长张西曼。一些名记者陆诒、徐盈、彭子冈等也前来采访。会场挤得满满的，祝寿会开得十分热烈。主持祝寿会的同学致了开会词，许多来宾讲了话，称颂马寅初的浩然正气、高贵品德和不畏强暴的精神。张西曼先生说：过去历朝设有“言官”，现在“民国”的监察院也算是言官衙门，但是我们听不到这些言官的声音，大概他们的嘴巴只顾去吃饭、吃肉，不用来说话了。马先生虽然不是言官，但他的那张嘴巴确实令人钦佩,不止吃饭,更敢于说话,说正义的话,说人所不敢说的话。这是坚持抗战所必需的一种精神,我们要学习他。张先生的这番讲话,寓庄于谐,给我们留下了深刻的印象。

会后,部分同学捧着寿联、寿幛和礼品,排成队伍,从会场出发,在校园内绕了一圈,然后走到马先生家中。这实际是一次小型的游行示威,扩大了这次祝寿会的意义和影响。

马占山不佩戴军阶

杨治兴

日本投降以后, 国民党政府任命杜聿明为东北保安司令长官,郑洞国、梁华盛为副司令长官。他们是蒋介石的嫡系,军衔都是陆军中将。1946年秋,蒋介石为了笼络东北民心,派马占山到东北,出任东北保安司令部的副司令长官,列在郑洞国、梁华盛之后。马占山的军衔是陆军上将,于是,官场上出现了上将听命于中将的滑稽事来。马占山为此事既忿懑又尴尬。他在任内,很少到班,也不出席长官部的军事会议,更不着军服戴军阶,终日身着长袍马褂,和一些东北耆老打打麻将,做做大豆生意。我们记者见到他,总爱故意将他的军,说:“五爷,您总得穿上您的军服,佩上军阶啊! ”马听后便骂道:“兔崽子,哪

壶不开你提哪壶，我若佩挂上，是他向我报告，还是我向他报告！”

舒群一瓶汽水的故事

王　竞

1946年6月，我在哈尔滨大学一年级读中国文学。哈市人民政权刚刚建立，很多学生对共产党还缺少认识。

一天，学生会请舒群来作报告。大家都听说舒群原是哈尔滨的作家，是共产党人，许多同学很早就站到校门口，希望尽早一睹这位共产党作家的风采。

9时许，他来了，身着稍微褪了色的灰布军装，腰系皮带，打着绑腿。头戴同样是褪了色的灰军帽，面色有些疲惫，连鬓胡子未剃，双目却炯炯有神。他没有讲稿，给大家介绍抗日战争时期革命根据地的情况。是作家的缘故吧，很快他的讲话就吸引住了大家，偌大一个会场，显得十分寂静。一会儿，学生会干部将一瓶汽水、一个杯子，放到了讲台上。他讲得口干了，把汽水倒在杯子里，呷了一口，又呷了一大口。两个多小时过去了，他讲完了。同学们长时间热烈鼓掌，他回报给同学们一个军礼，然后，从左胸口袋中，摸索出一张纸币，压在汽水瓶子下面，走下了讲台。很多同学簇拥着去送他，也有一些同学围在讲台周边看他压在瓶子下面的那张纸币，我也挤在一起看。今天，我已经记不起那张纸币的面额是多大了，但是记得当时的印象，用它可以买很多瓶汽水。那时，共产党的干部是供给制，每月发很少一点货币津贴，这大概要用掉他那为数不多的津贴中很大一部分吧！

这也许是一件小事，可是在中国人民两种命运决战的时刻，它曾激动过多少青年学子的心啊！

《黑龙江志稿》成书之难

柳成栋

清光绪十六年(1890)二月二十二日，黑龙江将军衙门遵照会典馆绘制舆图的要求，成立黑龙江舆图局，后以舆图局兼通志局。二十二年(1896)五月十六日聘请候补工部主事屠寄总纂舆图，兼通志总纂。同年十月二十七日黑龙江舆图局兼通志局正式启用关防，提调为佐领迎福。二十三年二月二十九日正式拟定《黑龙江通志条目》。二十五年四月《黑龙江舆图》成，本应继以全力纂修通志，但因经费支绌，加之"档案翻译既需时日，编纂尚待多才，条理既繁，仓卒断难蒇事”,所以通志纂修事只得暂停。二十六年(1900)“庚子事变”,俄军压境,省城沦陷,将军寿山殉职，屠寄等离开黑龙江，通志局亦宣告暂停。三十一年(1905)程德全继任将军,委张国淦任总纂,成《黑龙江通志略》十四卷。民国改元,复修通志,于三年(1914)8 月 20 日重新成立通志局,由涂凤书任局长,不及二年,因事又辍。继之史锡永、陈福龄、郑谦、钟广生、赵仲仁等先后任通志局长或名誉局长,连文澂任总纂。期间,成稿十五册,后亦散失。民国八年 11 月 17 日通志局再次暂行停办。不久,省长孙烈臣重新嘱请金梁继续修《黑龙江通志》,金据旧稿,复加五载搜罗，先作长编约一百五十巨册，脱稿后题曰《黑龙江备志》。因卷帙过多，复录其纲要为二卷,于民国十四年(1925)先行付印,即《黑龙江通志纲要》。后请张延厚补订金梁旧稿,数年未成。十八年(1929)万福麟任省政府主席,重新开局修志,11 月张伯英任总纂,先后聘请张从仁、孙宣、黄维翰、谭祖任、谢国桢等任总纂或分纂,历时三载,成初稿。“九一八”事变,通志局分纂室书牍及所成稿被焚无遗,加之万福麟已卸省政,总纂、纂修或病或去,通志局已无法再支持下去。后经张云生、惠伯汇成全稿,万福麟出资于北平付印,是为《黑龙江志稿》,计六十二卷首一卷。从黑龙江通志局设立起,到通志最后成书,屡办屡停,几起几落,前后历经三十五六年,足见修志之难。

林传甲与《黑龙江乡土志》

王延华

林传甲(1878—1922)，号奎腾，又号魁云，福建闽侯县人。清末民初著名的教育家和地理学家。1905年，经黑龙江将军程德全奏调来江省任学务处提调，专办学务。黑龙江省地处偏僻，当时教育非常落后。林传甲到江省后，积极创办学校，并亲自授课与编写教材。在江省的十年中，他撰写的关于黑龙江文化、教育、风俗、史地等著作达十五种以上。其中，他为初等小学所编的教科书《黑龙江乡土志》，是黑龙江省第一部乡土教材，内分地理、历史、格致三编，每编八十课，共二百四十课，该书体例新颖，图文并茂，简明扼要，通俗易懂。以问答的方式，生动地讲述江省的地理、位置、江河，以及省城齐齐哈尔及墨尔根、呼伦贝尔等城。此外还简明地记述了风土、人情、世俗、交通、渔猎、民族、商埠、语言文字、学校、宗教等情况，是当时一部难得的充满爱国主义思想的乡土教材。其母刘瑥(著名教育家)亲为作序。

此书宣统间有刻本和石印本，至民国三年(1914)又有铅印本，风行各省，发行七千余册。

祝宗梁创办女学

王延华

祝宗梁，河南固始人，清末民初著名教育家。清光绪三十一年(1905),其夫林传甲奉调出关,任黑龙江学务处提调,她亦随行至黑龙江省城齐齐哈尔。

黑龙江当时无女学，祝宗梁在城北赁茅屋一处,以家塾形式给劝导来的三名女学生上课。不久,在黑龙江将军程德全支持下,于光绪三十二年(1906)创办第一幼女学校,学生二十名,这是黑龙江省有史以来的第一所女子学校。创办五年后,学生增加到二百六十人,除本省外,还有直隶(河北)、山东、山西、河南、湖北、湖南、江苏、浙江、福建、广东、云南、新疆、蒙古等地慕名而来的学生。

为解决办学经费之不足，祝宗梁把自家房屋、财物用以办学。同时上书省议会,建议移风易俗节约办婚事，把当时规定收缴的婚书税作为办女学专款。其义举感动了黑龙江将军程德全,亦拍卖嫁女妆奁用来办学。

祝宗梁办学注重师资,亲自聘请教员,并创办“女小学教员讲习所”及“女子职业学校”,亲自授课。她还编写《女子历史》教材,选学生作文

百篇编辑《龙江女学文范》,逐篇加上评语,以提高学生写作能力。她还编写《劝学歌》、《上学歌》、《讲堂规则歌》、《私塾改良歌》、《学堂号令歌》和《幼女学校歌》等,亲自教唱,对学生进行爱学习、守纪律、不怕苦、图自立的教育。

黑龙江省的女学,在她的不懈努力下,渐具规模。

达族藏书家敖庆善

王洪生

敖庆善,达斡尔族人,姓敖拉氏(译音)名庆善,字同甫,原籍黑龙江齐齐哈尔音沁屯(今隶属齐齐哈尔市郊区卧牛吐乡),后定居齐齐哈尔。生于清同治六年(1867),光绪初年任黑龙江将军署蒙语翻译官和无品级笔帖式。宣统年间,任呼伦兵备道。民国年间任黑龙江省旗务处总办,军法处推事等职。卒年约七十余岁。

敖庆善生平勤奋好学,喜爱读书,精通满、蒙、汉三种语言文字。他从十几岁即开始抄书、藏书,后积书约五六百种,三千余册,大部分是满、蒙文线装古籍。有一些是他的亲笔抄本,其中关于黑龙江省的历史档案资料和少数民族风俗习惯资料,很多已成为珍贵的地方文献。

敖庆善的书斋初名“恩良堂”、“和靖堂”。定居齐齐哈尔后，改名为“树德堂”、“文雅斋”。

敖庆善六十岁以后仍然抄书和校书。他的手抄本多用满文，也有蒙文和汉文的，内容注重实用。所抄书，根据内容的重要程度，或亲手装订成简易毛装，或交付匠人精心装帧。每册书上都钤有藏书印，并题明抄、读、装裱时间等。藏书印有名章、斋室章、闲章等大小三十余方，造型别致，篆刻精良。

敖庆善的藏书大多已经散失。现在齐齐哈尔市图书馆还保存有近一百种，六百余册。这批书是在民国二年(1913)黑龙江省教育司为图书馆征集满、蒙、回、藏各种民族文字书籍时，敖庆善正任正黄旗协领，带头捐献的。其中满蒙文线装古籍是我国重要的民族文化遗产。如清顺治十一年(1654)听松楼刻本《新刻满汉字诗经》是第一次把《诗经》译成满文，全国只存有三部。乾隆武英殿刻本满汉文合璧《五经》、《四书》、《御制满蒙藏汉文四体清文鉴》、满文抄本《三国志》、道光刻本满文《聊斋志异》以及光绪抄本汉文《黑龙江城事宜》等，都是比较珍贵的古籍。

奉天学生“留学”哈尔滨

王静秋

中东铁路筑成之后,中俄交涉日繁,急需通晓俄语之人,尤以东北三省为甚。为解燃眉之急,便有人建议派学生到哈尔滨俄国学校“留学”,学习俄语。

哈尔滨为中东铁路枢纽要地,自欧亚铁路贯通以来,俄人云集,商工荟萃,日渐发达,清末民初时已基本形成一座国际都市。加之整个中东铁路附属地内,驻军、设警、司法、行政、教育等诸项大权均为俄人把持,俨然是“国中之国”。

1911年9月,东三省总督赵尔巽与中东铁路管理局局长霍尔瓦特商妥,由奉天选派三十名中学生(男二十、女十),官费入哈尔滨中东铁路俄国男女商校就读,学制八年。

行前,赵总督于督署召见全体留哈学生,并致词训勉。总督府卢司使还专为诸生规条八则,曰“立志、励品、守章、喜洁、勤修、爱群、明耻、知本”,对其中“知本”一则,更叮嘱再三,谓:“诸生皆青年俊秀,性志未坚,久居异地,易与习移,宜时念公家,不可或忘本国。”

到哈后,这些学生分别寄宿于俄人之家,饮食起居均依俄人习惯,日常生活皆以俄语对话。

他们牢记重托，刻苦攻读，进步很快。

此番来哈的奉天学生后来多从事中俄交涉，知名者有张国忱（曾任东省特别区教育厅长）、崔春煦（曾任中东铁路监事会稽核局长）、张明哲（曾任中东铁路管理局副局长）、李绍庚（曾任中东铁路督办公署最末一任督办）等。

车向忱创办平民教育

黄宇宙

车向忱，原名车庆和，向忱是他的字，辽宁省法库县东顾家房身村人。幼时从师于符了权先生。符先生是受康（有为）、梁（启超）变法影响的维新人物，对向忱的思想进步起了一定的推动作用。十七岁时，考入法库中学（四年制），二十一岁毕业后，赴北平入北平中国大学哲学系。

1919年“五四”运动，提倡民主与科学，对车向忱影响至深，他认为“国家兴亡，匹夫有责”，决心为中华民族的振兴出力。

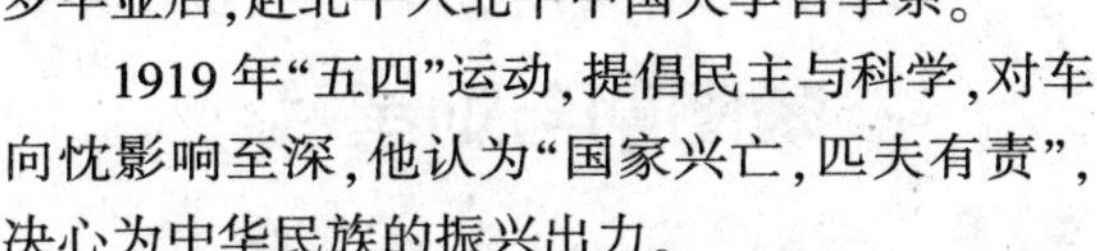

1925年车向忱由中大毕业，他父亲原想拜托杨宇霆（当时杨任张作霖大帅府总参议，系车家的亲属）给向忱当个县长，可是，向忱不肯走升官发财的道路。后来他到沈阳结识了中华基督教青年会总干事阎宝航，二人畅谈“振兴中华教育救国”的志愿，深感志同道合。阎先生让向忱留下来,在该会地下室的三间房内,着手办平民教育。他们四处奔波,热情讲解办民众教育的意义,争取各界支持。利用星期日和假期,在沈阳中、小学内,成立了二百多所扫盲学校。课本、笔墨、纸张等,都由车先生捐献和向社会募捐。教员由东北大学、冯庸大学及省立三中、五中、师范学校的学生充任。教师愿教,学生肯学,平民教育日益发展。但遭到部分教育负责人的反对,暗中向张学良少帅诬告说:“平民教育是官民不分,宣传赤化。”向忱找到了张学思(车的学生),同他一起面见张少帅,陈述“唤起民众是教育救国”的惟一途径。少帅说:“幸亏车先生来的早,迟一点, 就要派兵抓人和查封学校了。我明白了。车先生您大胆办学去吧!”说完,交给向忱五千元支票,作为办学的补助费。从此以后平民教育得到了发展,城镇平民学校达四十一所,学生七百余人,农村平民学校二百多处,学生七千有余。

楚图南与灿星社

陈 隄

楚图南,原籍云南省文山县。1925 年前曾是北京高师官费生。在学生时代即爱好文学,接受马克思主义, 思想进步, 加入了中国共产党。1926 年初受李大钊派遣来到哈尔滨, 从事党的宣传与组织工作。他利用当时执教于吉林省立第六中学(校址在哈尔滨)教授国文之便,向学生介绍苏联革命情况,宣传共产主义与爱国主义思想。

1928年4月末,在他的倡导、启发与支持下,六中学生效法上海左翼文学社团,组织了"灿星"文学社。这是哈尔滨自有现代文学以来最早组成的、也是存在时间最长、影响最大的文学社团。取名"灿星"的用意,是比喻新文学像星光那样灿烂。他们还创刊了《灿星》文学月刊,甫一出版即受到当时著名民营大报《国际协报》副刊主编赵惜梦的重视,主动来访楚图南,希望能将《灿星》月刊改为该报的副刊之一,每周在该报出刊一期,每期赠送该报二百份作为稿酬。《国际协报》不但在本埠销路最广,而且远销平津沪诸地,《灿星》周刊便随着该报而将影响扩展到全国各大城市。

《灿星》办刊的指导方针是"三不"、"三新"。"三不"是:不刊登才子佳人内容的作品,不刊登歌功颂德内容的作品,不刊登悲观失望内容的作品;"三新"是:写新的天地,写新的生活,写新的风格。刊物除了刊登符合"三新"要求的小说、散文、诗歌、戏剧、评论,也刊登翻译的苏联及欧美进步文学作品。

《灿星》文学周刊在楚图南的领导下,以民主方式推举第九班学生王岫石、高鸣千先后担任主编。出刊将近两年,由于反动当局的迫害,于1930年春被勒令停刊。附在《国际协报》上的《灿星》周刊装订成了两卷，为哈尔滨文坛留下了不朽的篇章。

“灿星社”成员共有几十人，其中骨干十几人：如六中国文教员谢宗武，中共党员，笔名尚镢钺；东特一中国文教员杨定一，中共党员，笔名大心；学生张均风，也是中共党员；及学生高鸣千、王岫石、张克明、张逢汉、张德济、郑健等人。

楚图南本人从20年代初就开始以“介青”为笔名在各报刊杂志发表诗歌、散文、评论。他在《灿星》上发表的抒情长诗《铁的龙》，是他在1929年冬从关内北归，途经山海关遇大风雪，交通中断，感而为诗。以火车比喻铁制长龙，奔腾呼啸，情辞激越，无论在思想上还是艺术上都臻于上乘，是他诗歌创作新起点的标志。

哈尔滨“两剑”闯上海

李　龙

金剑啸与好友李剑飞于1930年自哈尔滨南下同闯大上海。因二人的名字中均有一个剑字，被人称为哈尔滨两把剑。同年10月，二人考入上海新华艺术专科学校，剑啸学绘画，剑飞学钢琴。

剑啸较早接受左联影响，想要创办一张倡导革命的小报。他来到剑飞住处，与剑飞及其女友赵曼娜共商此事。因为剑啸在哈尔滨任《晨光报》副刊编辑时，剑飞经常为其撰稿，此次再度联璧更是心会神通，准备在大上海初试锋芒。经过切磋，决定油印匿名《三角壁报》，每周一期，以改造社会、改造教育为宗旨。剑啸担任主编，并负责刻蜡版、油印。剑飞和曼娜负责供稿。第一期出刊了，它以反对军阀专制统治、反对帝国主义侵略、宣传革命的崭新面貌，呼出了大众的心声，使死气沉沉的新华艺专沸腾了。壁报出了四期，每期都被师生乃至校外人士争相传看。正当师生赞不绝口时，校长却以"仇父非孝之言忍心倡导，共产共妻之说信口訾谈"为名，出面干涉，并申报当局横加制止。剑啸毅然决定将《三角壁报》改名为《黑波壁报》，撰写社论，无情地揭露校内和社会上的黑暗，使新华艺专的学潮顿时高涨起来，并迅即波及到社会。

此后，金剑啸走上革命道路，回东北参加抗日斗争，以笔为刀枪，发表大量文章和艺术作品，猛烈抨击日本侵略者和宣传革命，在哈尔滨、齐齐哈尔颇负盛名。1936年在齐齐哈尔被日寇杀害，就义时十分壮烈，年仅二十六岁。

李剑飞(冷波)与妻赵曼娜(赵尚英，抗日名将赵尚志胞妹)，后从师欧阳予倩，成为我国早期影剧界人士，为我国话剧事业作出一定贡献。

一毛钱饭馆

支　援

“九一八”事变第二年冬天，哈尔滨道里中国四道街出现一个小饭馆，匾额上书“一毛钱饭馆”。

匾名新鲜、别致，过往行人一看都笑，觉得有趣。开业时还在报上登了广告，招徕顾客。不久，报上《本市趣闻》栏目中，有人撰文评论：招待员手大，腿脚不灵，只会笑，不会招待等等，一时传为笑谈。

原来业主并非买卖人，而是一些文化人。当时中共满洲省委因哈尔滨左翼作家生活比较困难，派金伯阳出面，联系刘昨非、王关石、白涛、冯咏秋、黄田、裴馨园等六人，筹集资金，租赁房子一间，雇用了一名厨师，在门前点燃一挂鞭炮，响起几个二踢脚，这个小小饭馆就热热闹闹地开张了。

小馆的设施虽简陋，但很洁净、文雅，墙上挂的都是画家们的画。跑堂的都是些文化人，不过都很朴实、热情，加之小馆以经济实惠为宗旨，吃一顿简便的饭，只需一毛钱；一盘熘炒，也是一毛钱。薄利多销，顾客盈门，普通市民，工人、学生都愿到这里就餐。尤其是一些文化人，如当时在哈的舒群、罗烽、白朗、萧军、萧红、方未艾、唐景阳、金剑啸等许多作家、画家、编辑、记者、教师，都是这里的常客。说实了，这个“饭馆”就是哈尔滨进步文化人经常聚会的一处场所，也是中共的秘密联络点。

敌人慢慢地似乎有所察觉，时而到饭馆来找麻烦。1933 年 1 月，赵尚志从巴彦游击队来哈尔滨，他打扮成乞丐的样子，首先来到“一毛钱饭馆”找金伯阳。当金伯阳见到赵尚志时，恰逢有个便衣警察在旁，贼眉鼠眼地打量赵尚志。金伯阳急中生智，当即打了赵尚志一个耳光，随又怒冲冲地说：“臭要饭的，快点滚！”尽管如此，那便衣还是把他俩带到了伪侦缉队。经过几次刑讯，赵尚志一口咬定自己是要饭的，金伯阳也坚持说不认识他。弄得敌人抓耳挠腮，得不到一点证据和口供，只好先把金伯阳放了，接着把赵尚志打了一顿也放了。

1934 年 4 月，中共满洲省委遭到破坏。舒群、萧军、萧红相继南下，6 月罗烽被捕，冯仲云等人也被派往珠河游击队。“一毛钱饭馆”生意日趋萧条，不久便宣告停业了。

"牵牛房"与左翼文化人

董金锷　周淑珍

牵牛房，位于哈尔滨新城大街(今尚志大街)南头，是哈尔滨30年代左翼文化人经常聚会的活动场所。1935年5月15日，萧红在题为《牵牛房》的文章中写道："夏天窗前牵牛花爬满了窗门，因为这个叫'牵牛房'！"萧军注释谓："'牵牛房'是我们在哈尔滨时期常常和一些朋友聚谈的地方。"冯羽回顾说："父亲爱好艺术，喜欢花草，在院子里种了许多牵牛花。"

牵牛房主人冯咏秋早年毕业于北大中文系，是当时哈尔滨的名士，很好客。萧军、萧红、舒群、金剑啸、罗烽、白朗、方未艾、唐达秋、白涛等人都经常到牵牛房来。

1933年7月，由金剑啸发起组织了"星星剧团"，金剑啸任导演，萧军、萧红、舒群、白朗、罗烽都是团员。剧团当时在牵牛房排练了三个进步短剧。一个是美国进步作家辛克莱的《小偷》，萧军扮演小偷杰姆，白朗扮演律师太太，刘毓竭扮演律师；一个是白薇写的独幕剧《娘姨》，舒群扮演主妇的丈夫，萧红扮演生病的老妪。再一个是白涛写的《一代不如一代》。

中共满洲省委秘书长冯仲云也经常到牵牛

房来。1933 年 4 月中旬，冯仲云从汤原游击区回来，身上穿的棉袍已经破烂不堪，为避免引起敌人注意，他晚上来到牵牛房，换好衣服，由黄田护送回到住所。

1935 年，敌人更加疯狂，白色恐怖日益严重，牵牛房的活动也难再继续下去。分别前夕，冯咏秋画了一幅很大的风景画，请大家签名留念。鲁少曾挥笔题了首诗：

牵牛扮角逐屋室，
花小香微有志深。
但愿此画传千古，
尽是名家历史人。

忆王道书院

刘　炎

40 年代初，在伪满首都新京(今长春市)执政府旧址，设有一所名气不大、鲜为人知的文科高等学校——王道书院。这是一所仅有三个班级、一百五十多名学生的小型学校。它的前身是郑孝胥担任院长的王道书院夜校，是由日本浪人日高炳之郎遵照关东军的意旨，打着郑孝胥的旗号创办的。我于 1944 年春入学时，书院已经改为本科(同时也有夜校)，由伪满原经济部大

臣、后为参议的蔡运升任院长，日高为副院长。书院主要学习中国古典文学，设有十七门课程，师资大多数是聘请“新京”各大学的教授担任。

当时，“新京”的其他大学，如建国大学和法政大学都有一年预科三年本科，而且每天都有半日的军训。我们书院没有预科，没有军训，生活衣着也较为自由、随便。三年本科毕业后可分配到国民高等学校(中学)当语文教谕(一级教师)。当时很能吸引学生，当我在1943年冬报考时，考生达千人，只录取六十名，就连“满洲”的王公大臣们，也愿意把自己的公子、小姐通过日高塞进这个小小的书院里。

同学中有几位小有名气的作家。徐放郎(徐放)出过诗集《南城草》，鲁启智(鲁琪)、陶纯一(陶冶)、田士中(女)等都常在报刊上发表散文和诗歌。这就引起了院方的注意，并且引鬼进宅。有几次，课间休息时我回宿舍，发现戴墨镜的特务正在搜查学生的书籍。1945年5月，由上班同学万之臣、陶纯一联络田士中、喻庆喜等同学写了十几篇散文在《新满洲》杂志上出了一期王道书院专刊。学监田岛发现后大为恼火，把万之臣严厉训斥一顿。1945年6月，我们大多数学生参加了大学生“勤劳奉仕”，去黑河修战备公路。一个月后回校时，得知鲁琪因“思想犯”被抓进监狱，徐放逃走。在日本人严密监控下的书院里，涌动着反满抗日的暗流。日本人更没有察觉，堂堂伪国务院总理大臣张景惠的公子张绍纪，在1942

年留学日本时，加入了共产党。

“八一五”光复后，日本帝国主义者建立“王道乐土”的迷梦破灭了。书院短暂的历史结束了。那幢破旧的校舍已不复存在。然而，却给新中国留下了一批教授、干部、作家和新闻工作者，其中有辽大中文系主任孟庆文，锦州师院中文系主任孔宪富，国际关系学院日语系主任张绍纪(现名张梦实)，原黑龙江省文联主席鲁琪，曾在《人民日报》文艺部工作的徐放等等。这一切，是当初那些想把学生们奴化成日本侵华工具、王道乐土的顺民的书院创办者们做梦也不会想到的。

张学良致力东北体育

王昭文

1928年张学良将军在东北主政后，主张“强国必须强种”，积极提倡体育。除自己坚持体育锻炼外，还号召东北各级学校开展体育运动，要求办学必须智、德、体、美、群并重。为挽回东北体育落后，过去参加历届运动会都榜上无名的局面，摘掉“关东白帽子”的诨号，他先后倡办了东北三省运动会、第十四届华北运动会、东北四省(含热河)运动会，要求东北各地秣马厉兵选派运动员参加，使众多运动健将脱颖而出。他还不

惜重金聘请国内外著名体育专家到东北大学(张学良兼任校长)任教,并派体育专家到哈尔滨等地讲学,指导训练。在不到三年的时间里,终于改变了东北体育落后的局面,在第十四届华北运动会上取得了良好成绩。

1930年第四届全国运动会在杭州召开,东北各地体育代表队出发参赛之前,张学良将军指示:此次出师,争取全胜,誓必摘掉"关东白帽子"。他要求东北运动员都戴白帽子,努力竞争,获得第一之后脱下白帽子向观众示意。在第四届全国运动会开幕式上,戴白帽子的东北代表队绕场一周时,观众议论纷纷。比赛开始,首项短跑比赛,头戴白帽子的辽宁运动员和哈尔滨运动员刘长春(男)、孙桂云(女)都一路遥遥领先,场内观众掌声雷动。头戴白帽子的其他运动员在跑、跳、投、掷各项田径比赛场上也都异常活跃,捷报频传。比赛结果,辽宁男队和哈尔滨女队,双双荣获全国田径冠军,哈尔滨撑杆跳高的符保卢成绩优异,名扬全国。张将军致电祝贺,并汇给奖金。

威名远振的东北两位短跑健将刘长春、孙桂云的芳名,曾被杭州命名一条路——长春路、一座桥——桂云桥,传为佳话。

“撑竿跳高大王”符保卢

高文志

1936年6月，参加德国柏林举行的第十一届奥运会的中国体育代表团中，有一位惟一取得复赛资格的田径运动员，他便是本世纪30年代名噪中国体坛、被誉为“撑竿跳高大王”的关东名将符保卢。

符保卢原名符保陆，字宝卢。1913年生于吉林省长春市。20年代初，随父母(母系俄国侨民)移居哈尔滨。他自幼身体健壮灵敏，喜爱活动。入小学后，经常练跑跳、拳术，也参加球类练习。在各种体育项目中，尤爱撑竿跳高。1928年，通过母亲结识了擅长撑竿跳高的俄侨哥复登，并在其指导下进行比较正规的训练。后转入东省特别区第三中学读书，又受教于体育教师王立疆，技艺水平不断提高。1930年4月，符保卢被选为东省特别区体育代表队成员，参加在杭州举行的第四届全国运动会，以3.28米的成绩获得冠军。时年仅十七岁。

在柏林第十一届奥运会上，8月5日，符保卢在蒙蒙细雨中越过了3.80米的横竿，取得了复赛权。当横竿升到4米时，三次试跳均未成功，未能参加决赛。主要原因是他在国内带去的

竹制撑竿质量很差，加上旅途劳累，未能发挥出在国内比赛时的水平。

符保卢叱咤田坛，多次获得全国冠军、多次打破全国纪录的事迹，上海勤奋书局1936年出版的《全国男子田径名将录》中曾有记载。

符保卢赴欧参赛前，已考入中国航空公司学习驾驶飞机。1942年抗战时期，因飞行失事，以身殉职。

伍连德防疫获“二士”

杜 诗

伍连德，广东新宁(今台山县)人。清光绪五年(1879)生于南洋槟榔屿(在马来西亚)。光绪二十五年(1899)毕业于英国剑桥大学医学院。曾去德、法等国研究细菌学。光绪三十三年(1907)回国，清政府委任他为天津北洋陆军医学堂副监督。

宣统二年(1910)12月间，东北北部鼠疫流行，哈尔滨疫情严重，仅傅家甸(今道外区)每天就死亡五十余人。伍连德作为全权总医官来到哈尔滨，迅即组成防疫队，深入疫区检查疫源，控制交通，封锁疫区，并及时火化病尸。经过三个月的艰苦工作，震惊中外的鼠疫大流行控制住了。清政府赐伍连德为医学进士。

宣统三年(1911)四月，世界防疫会议在奉天(今沈阳市)召开，有来自十二个国家的专家和特派员参加。中国参加会议的有伍连德等九人；东清铁路(中东铁路)哈尔滨防疫局的代表一名。会上，公举伍连德为会长。伍连德在会上提出的防疫主张和一些新的理论，受到与会各国专家们的高度评价，被誉为战胜瘟疫的斗士。

叶圣陶先生的一封信

吴中匡

我保存着叶圣陶先生的一封来信。

四十多年以前，我在长春的一所大专学校教语文，所用语文课本上选有叶圣陶先生《谈修改文章》(后改题为《谈文章的修改》，收入《叶圣陶语文教学论集》)一文。文中有一个词语，我怎么都觉得别扭，贯接不下去，于是提出意见，写信给作者求教。圣陶先生及时给了复信，言词谦逊，虚怀若谷，“老成人自有典型”，可于圣陶先生见之。圣陶先生的来信附录如下：

忠匡先生教席：

大示敬悉。承示“可是”一词用之不妥，读之深佩卓见。并自感惭愧，当时何以草率至此，乃用此绝不相应之“可是”乎！自以删去为便，曲为回护，非所宜也。

"下判断"之"下"可去可不去,不若"可是"之严重。

敬谢厚意,志之不忘。即颂大安。

叶圣陶拜上　一月二十九日

闻一多先生治学之勤

张志岳

闻一多先生在清华大学任教时,常开的课程主要是《诗经》和《楚辞》。闻先生对古典文学早有相应的根底,但要认真地研究《诗经》和《楚辞》,文字训诂这一关是必须通过的。闻先生对文字训诂之学,初未精研,每逢建立新解时,遇有文字上的困难,多用通假的方法来作暂时的解决,这是可以理解的。但多用通假,不求实证,其弊甚多,往往不足为据。据说当时就有人讽刺他:"一通则无所不通,一假则无所不假。"为了克服这一困难,闻先生大力攻治文字训诂之学,乃至甲骨文和金文,无不探求。闻先生曾对我们说:"我于《诗经》下力最多,对《诗经》中每一个字的音、形、义,我都广搜博采,一一推求,这样的札记有许多本。"这是何等的功力和毅力啊!

我曾两次听他讲《诗经》,相隔两年,即有显著的改进。除关于古代社会及诗歌发展方面不断有新颖的见解以外,凡涉及文字通假的问题,

都能列举许多实例,从而进行切实的论证。这就有力地回答了上文所提到的"讽刺"。

闻先生治学的方面甚广,且都有创见。我们读《闻一多全集》都会感到博大精深,其成功的原因虽有多端,而其治学之勤则肯定是其中的一个重要环节。

据我所知,闻先生每日治学,必至深夜,甚至达旦始眠,这是他经常的习惯。从这里,又可看出他精力过人。

施剑翘为从云小学募捐

施羽尧

1945年抗日战争胜利后,施剑翘(曾为父报仇手诛五省联军总司令、大军阀孙传芳,人称女杰)在苏州创办了以叔父——辛亥革命烈士、滦州起义军总司令施从云命名的小学,自任校长。1947年冬,通货膨胀,经济困难,眼看学校因此办不下去,几百名孩子就要失学,施剑翘心急如焚,决定到社会上募捐。她专程北上。来到北平后,只身来到徐悲鸿先生住所,向主人作了自我介绍后说:"徐先生,我知道您身体不好,是您的正直与善良促使我求助于您,从云小学多是劳苦人家的子女,我不忍心看着几百个孩子失学,才北上募捐……"

亲身尝受过失学痛苦的徐悲鸿，听剑翘叙说了创办从云小学的详细经过，郑重地说："施大姐，我支持你，除了我个人之外，我在家中请一次客，把画友请来，为从云小学作画。"三天后，有八位画家来到徐家，他们围桌而坐，听徐先生述说捐画的因由后，都慨然承诺。

剑翘按约来到徐宅门前，徐夫人呆住了，只见她身着丧服，面容憔悴，双眼红肿。她缓步走进庭院，看到簇拥在徐先生身边的画家，泪水夺眶而出，说："收到舍弟两封电报，家母在南京病故。收到第一封电报，想回家探视，可是徐先生及在座诸公的盛情，四百名儿童的期望，使我不得不以学校为重。我代表从云小学师生，并以先四叔从云公的名义，感谢大家！"

徐悲鸿先生和在座的画家们深为剑翘的行为所感动，奋笔挥毫，将作出的画赠给了从云小学。

叶浅予先生还拿过纸笔，唰唰几笔，勾勒出剑翘的画像，赠给剑翘。其余几位画家也先后在圆月形折叠画册上为剑翘作画留念。

徐先生在画册上写下的诗句是：

岂有蛟龙愁失水，
只磨故剑问青天。

并在次页画了一只昂首奔腾的骏马，题款"赠剑翘女士留念"。

胡传在宁古塔

何俊芳

胡传(1841—1895),字铁花,号钝夫,原名守珊(一作守三),安徽绩溪人,是我国近代著名学者胡适的父亲。清光绪七年(1881),由于受到督办边务钦差大臣吴大澂的赏识,随之东游宁古塔,任幕僚,参与机要。有一次,与他人勘界入山,迷失道路,"数日不得出,干糇皆罄",众人惊恐失措,胡传却根据水流就低的道理冷静地辨察水流,沿着水流的方向而行,终于寻到路径,下得山来。

胡传在吉林宁古塔供职六年,至光绪十二

年(1886)因奔母丧返里。后来曾任河道总督。十八年(1892)应台湾巡抚邵友濂之约,赴台湾供职四年。中日甲午战争失败后,清廷于次年被迫割让台湾,这时胡传返回厦门,并于同年八月十二日病逝于该地。0

胡传为人才略恢阔,其文刊入《经世文编》者甚多。另有《征东日记》。亦工诗,但传世不多。兹录其在宁古塔时之作如下:

过宁古塔忽然有感

苦夷索虏乐输珍,风雨津梁道里均。
议款东陲成大错,当年迁省又何人?

德林石

昔闻崆峒山,今履崆峒石。
神禹古未凿,此境何年辟。
疑是水流漩,冲激成岩隙。
或云牡丹江,旁注伏流迹。
轮蹄鞺鞑声,鼓行塔城驿。

漠河金矿局与塞鸿诗社

郑　翚　李兴盛

“三千里江山金子镶边”,黑龙江素有“黄金之乡”的美称。据史料记载,黑龙江采金历史悠久,至今已有千余年了。但采取官督商办的形式,还是清代末年的事情。光绪十三年(1887),清廷派吉林候补道李金镛为督理,至漠河创办金矿。李由墨尔根(今嫩江县)裹粮入山,开辟了直达漠河的“黄金之路”。光绪十四年十二月(1889年1月)祭山开工。

金矿开办之后,“矿局事务既繁,需才孔急”。己丑(1889)春,李金镛禀请奏调了湖北候补知州刘建生等一批官吏,于当年九月初旬先后抵漠,分居要职。刘建生,字域林,江苏武进人,当时在漠河矿局任巡查差事。据宋小濂在《北徼纪游》中记述:“刘建生刺史,云樵廉访之公子也。前曾履任鹤峰(县名,在湖北省西南部),因事撤任另补。性情和易,虽故富贵,恂恂然不失书生本色。雅好吟咏,到漠后,偶集同人作塞鸿诗社。与是社者为屠荫堂、闵苣岑、秦曙村、刘臣五、钟勉孚、唐钦昭、李子愚、刘杏芬、钟彦英,并建生与余,共十一人。”屠荫堂,字瑞椿,南兰陵(今江苏武进)人,原为刺史(知州),综文牍。闵苣

岑，字广纶，吴兴(县名，在浙江省北部)人，原为贰尹(清代谓县丞)，分综文牍。秦曙村为李公西席(李金镛家塾师)。刘臣五，吉林人。钟勉孚，浙之海宁州(今海宁县，在浙江省北部)人，原为贰尹，司盘查。其诗“皆能独出心裁，自抒胸臆”，“尤工填词，每酒酣，拈毫立就，击节高歌，感慨苍凉，陵轹一世”。唐钦昭，原为贰尹，掌度支。刘杏芬，江苏无锡人，为医士。宋小濂，字铁梅，吉林人，附生出身，在漠河矿局办文案兼交涉外事。其余人情况不详。

参加塞鸿诗社的这些成员，“拈题分韵，斗险争奇，略无虚夕……佳作极多”。“惜未及一月，建生调办一间房盘查事宜；子愚、彦英亦均分赴各厂；局中文牍又复坌集，无暇及此，诗社遂因之而辍”。光绪十六年(1890)，宋小濂请假归里续娶，并赴天津出差，返漠后知刘建生逝世，乃为诗挽之云：

昨闻君已唱刀环，未返家山返道山。
已报人来沧海峤，不教生入玉门关。
英雄半为浮名误，富贵曾经本色难。
惆怅塞鸿诗社里，风骚谁更主吟坛。

寓居龙江的女诗人曹奉昭

封　敏

曹奉昭是清末民初流寓黑龙江的女诗人，字玄九，安徽当涂人。生于光绪元年(1875)，清末贵州道员曹琅之孙女，湖南著名幕宾曹本观之女。少颖悟绝伦，七岁即能吟咏。有一次其父命她作一首诗，她应声而就。诗末云："只恨嫦娥多管事，为何牵我到红尘？"又命她作一古诗，她随口吟道："我骑白鹤云中来，仙人铁笛催花开。"父大喜，认为她有夙慧。光绪二十二年嫁绍兴范迪煌为继室。二十三年迪煌宦游黑龙江，为将军恩泽之幕僚。又二年奉昭携带二女来赴，诗名益噪。日俄战争(1904—1905)之际，忽取所著诗稿焚之，曰："当今之世，列强纷争，诗虽工，不能以御外侮也！"从此专习天文、兵法、书画、音乐、医理，尤深于电学。还说："他日有战争，吾其投袂而起乎！"但不幸于民国五年(1916)，以病殁于拜泉县旅次，年仅四十二岁。迪煌辑其遗诗数十首为《绣余诗存》。

曹奉昭的诗朴素自然，直抒胸臆，不事雕凿。其《叙杯》有句云："新学器且尘，旧学陈而腐。国中阒无人，何持御外侮？"《过沪上有感》云："强邻心叵测，争竞几时休？"忧国忧时的爱

国情怀跃然纸上。她写于黑龙江的诗有《初到拜城赠世人》、《偶成七言绝句》、《待月》等佳篇。另有《唐多令送邗江女史词》一阕,词云:

冰雪满沙洲,孤云万里游。悲欢离合几时休?边地相逢真邂逅,江上水,自东流。

煮茗数更筹,残香绕画楼。故乡何日快同舟?哽咽河梁暂分手,君且去,莫淹留。

马忠骏与遁园吟社

杜 确

马忠骏曾任东省特别区市政管理局长,1925年9月辞去职务,在哈尔滨东南郊约十华里处,辟一园圃,隐居下来。圃的正门横额上题着郑孝胥手书的"遁园"两个大字,遂称"马氏遁园",人们又叫它"马家花园"。

马忠骏"作吏三十年",厌弃了官场生涯,未老归隐,正是"认途枥马饱经霜,未老身先得退藏"。他归隐后的生活,见其《述怀》:"解组归来近十年,自锄瓜菜自耕田。未曾富贵未曾穷,粗布棉衣过几年。"大约1935年前后,日伪政权曾以高官厚禄诱其"出山",但几次遭到他的拒绝,保持了民族气节。

1940年春,一个偶然的机会,我去"遁园"游览,曾见到马老。当问及他的生活费来源时,他饶有风趣地答道:“我靠着一条腿的哑吧儿子(指园中果树) 和两条腿的白丫头 (指养的来克亨鸡),它们使我丰衣足食了。”

遁园的诗友数以百计, 酬唱较多, 遂组成“遁园吟社”,也称“松滨吟社”,出版过一部《遁园杂俎》(初版印于1925年,再版印于1940年)。第二版我曾见过,收诗二百五十多篇,作者多为社会名流。当时中东铁路公司中国方面理事、哈尔滨工业大学校长刘哲尝去遁园, 诗集中收有他的一首诗:“百川吸作长鲸饮, 楼台倒插池塘影。醉依栏杆观众生,大千民尽饥且冷。”近代史学家、清史馆总纂柯劭忞曾为遁园主人写《无闷主人马君生圹铭》,近代文学家、翻译家林纾写了《遁园记》。东北大学文学院主任章士钊,于1930年秋初到哈尔滨,畅游松花江之后,应遁园主人邀,在遁园盘桓了数日。临别,主人拿出一张“生圹留影图”请章题诗留念。章在诗亭题道:“庚年游滨江,得识荩卿先生,相见憾晚,出生圹留影图,属题旅中。愧无佳句,殊负雅命,容当续吟呈教。”遂以《题遁园生圹图卷》为题,赋七律一首, 诗曰:“万里荒江著胜流, 遁园心事寄松楸。秦多疑冢愚堪笑,鲍入秋坟鬼预愁。华表归频鹤无语,千金散尽土成坯。好题如此诗难好,惭谢平生马少游。”

哈尔滨的诗友聚会频繁,吟咏亦多。如中东铁路公司中国方面理事、著名书法家成多禄留于诗集中的就有六七首。后来,诗友在哈的只剩

下遁园主人和张半园两人。马与张曾有过联句：

欲作登高赋，天涯少故人。（马）
尘劳双鬓雪，忧患百年身。（张）
城郭今非昔，金缯富亦贫。（马）
闲愁且删却，睹酒莫嫌频。（张）

二人的诗句表达了对国破家亡的强烈伤感之情。

高吟过后是悲歌
——记松滨吟社

马维权

马忠骏建遁园(俗称马家花园)后，又于园中造了生圹，遂使遁园成为哈埠一景观。时张朝墉、陈浏、成多禄、钟广生诸先生咸应马忠骏邀为幕宾，对遁园多有题咏。蜚声海内外的书法家吴玉如先生，其时为铁路交涉局科长，尝赋《过马氏园林》十二首，其中有“海内连烽火，天涯有遁园。非关巢许愿，可远鼓鼙喧”。“急流知勇退，今古几人能。彭泽折腰米，漆园蒙笥缯。岂徒鸣旷达，犹耻缅规绳”等句。

马忠骏与张、陈、成诸先生对遁园的吟咏，传诵遐迩，一时间前清翰林如柯劭忞、缪东麟，旧官僚如曾韫、周冕，现职大员如郭宗熙、袁金铠都加入唱和，于是有松滨吟社之组成。对此，成多禄在《遁园杂俎序》中曾有记述：“海城马遁翁者，豪华人也。岁晚悟道，弃官而归农，躬耕于马家屯，饶有园亭花木之胜，且自筑生圹以自誓，意泊如也。予既一再赋小诗贻之，于是张、袁诸君闻风兴起，诗简相属于道。同社生半园张髯又从而张之，新城王晋卿方伯为当代文章巨子，首宠以大篇，而海内耆彦纷纷以遁园为星宿海矣。”

多数诗人的仕宦身份，和诗歌内容的清高超然，诗歌形式的泥古倾向，使松滨吟社显示了脱离现实的浓厚色彩。不过，它仍然不能不烙上时代的印记，揭示当时贫富悬殊的不合理，表达了关怀民生的积极态度。

“九一八”后，松滨吟社的诗人有的为抗日去了关内，有的受迫害于关外，有的当了可耻的汉奸，风流云散。此时虽有吟咏，已多国破家亡之恨了。

“九一八”后，松滨吟社改名遁园吟社，苦撑至1940年，终因在白色恐怖下“鱼雁虽往还，焉能仰肺腑”而名存实亡。

松滨吟社前后四位社长是周冕、张朝墉、沈果忱、马忠骏，十五年中前后有近百人加入唱和，包括林琴南、章士钊等文化名人。

余至今保留先严所遗庚辰本《遁园杂俎》，其中收录松滨吟社唱和诗十卷。

卜奎书坛三张

谭彦翘

卜奎(今齐齐哈尔市)书坛,晚清至民国期间,书家以“三张”最享盛誉。他们是张朝墉、张延厚和张伯英。

张朝墉(1851—1942),四川奉节人,字北墙,又字白翔,号半园。早岁中举,光绪二十二年(1896)游幕来齐齐哈尔,去而复来者三次,因是在齐居留较久。他学问渊博,长于诗,尤擅书法。其楷法钟繇,行宗李邕,偶作篆隶,亦很精到。他日课很勤,每早用一炷香的功夫写小楷。写字时执笔很低,捉笔很紧,但行笔很快。所以时人有诗称云“迅如渴骥怒奔泉,疾如春涨累汛川”。又因他从不自惜笔墨,故求书者颇多,“兴来便结翰墨缘,片词只字人争传”,是以墨迹流传甚广。其楷书《金刚经》、《朱柏庐先生治家格言》为齐齐哈尔市图书馆所藏的精品。

张延厚(1871—?),安徽桐城人,字伯未,号公竺,出身于书香之家。民国间曾任《黑龙江通志》总纂。喜藏书,又喜读书,细笔精校,丹黄满册。他的书法兼工各体,对隶书用功尤深,尝临汉碑,仅张迁碑即临摹数十过,故所作隶书多用方笔,遒劲刚健,气势宏大。行、草颇多变化,不拘一格，点画生动，婀娜多姿。篆书亦极精工。

张伯英(1871—1949)，江苏铜山人，字勺圃，一字少溥，又号悲翁。早年中举，民国初供职于北京政府，交友成多禄，过从无虚日。民国十八年(1929)受黑龙江省政府之聘任黑龙江通志总纂，后成《黑龙江志稿》六十二卷。他的书法宗尚北碑，评者谓其“清新淡雅”，晚年越显得流利潇洒。嵌于齐齐哈尔市图书馆古籍部壁间的两方碑刻即是他的墨迹。因他晚年定居北京，所以在北京也颇有声誉，北京的一些老字号还保有他的书匾。

张朝墉遗墨《江上四绝》

潘西平

张朝墉，字北墙、白翔，号半园，四川奉节人。清光绪间举人、拔贡。清末到民国十七年，先后三次来齐齐哈尔，被黑龙江将军程德全、民政长宋小濂、巡按史朱庆澜聘为文幕。其间，受程德全委托创建仓西公园(现龙沙公园)，并任黑龙江通志局纂修，完成了《黑龙江物产志》的编纂。

张朝墉是诗人，又是黑龙江早期的书法家。其楷书宗钟繇，行书法李邕，篆隶虽不多，但我看到其用隶书题署《黑水诗存》，亦颇精到。特别是他的行草气势奔放，运笔自如，已臻娴熟。他的墨迹不仅在省内广为流传，首都前门大街一些老商号亦可见其所书匾额。现藏于齐齐哈尔市图书馆的手抄楷书《金刚经》、《朱柏庐先生治家格言》等均属难得的佳品。

解放后，我在齐市谭彦翘先生府上，有幸亲睹张的行草墨迹《江上四绝》。其诗通俗流畅，生动地展现出往昔齐齐哈尔江畔的夏日风光；其书法迅捷多姿，正如《黑水诗存》作者魏毓兰所赞："迅如渴骥怒奔泉，疾如春涨累汛川。"彦翘先生为我多年好友良师，竟承割爱相赠，至今珍藏。

其诗云：

偶挈儿孙踏水乡，
一家分作两船装。
横风掠浪力亦猛，
细雨沾巾湿不妨。

葫芦头东一帆风，
葫芦头西落照红。
天水一泓清到底，
游鱼个个走空中。

野店昏鸦树几行，
村姑缉索正郎当。
停桡一听琵琶记，
茹苦含辛赵五娘。

留园小睡昼迟迟，
瓜菜生香草树滋。
选石归来天已暮，
灵鸠咒雨水神祠。

成多禄的蕉叶书

谭彦翘

先伯岳赠我吉林诗人、书法家成多禄在蕉叶上书写的唐诗墨迹一帧，至今珍藏。这帧墨迹已装裱成纵23厘米、横21.5厘米的册页。文曰："空山不见人，但闻人语响，返影入深林，复照青苔上。王摩诘尝画雪里芭蕉，故录其诗于新蕉叶之上。甲子秋七月书于十三古槐馆澹翁。"下钤扁方篆文"澹翁"朱文印一方。字宗平原，极似松禅，特别是写在蕉叶上，弥足珍贵。按甲子岁为民国十三年(1924)，六十多年前的新蕉叶，今已成了淡粉与浅赭两色相间的叶脉纹理清晰的干片。史传唐代草书大家怀素因贫无力购纸，尝于故里种芭蕉万余株，以供挥洒。获此始得印证，乃信史传之不虚。

考其流传，成多禄壮岁入盛京将军依克唐阿、齐齐哈尔副都统程德全幕主文案，与宋小濂

为挚友。民国之初为中东铁路理事会理事。晚年买宅北京马市桥南沟沿(其宅今已不存),名所居为澹园,因以澹翁为号。宅中有大槐树十三株,故称书室为十三古槐馆。庭前种了很多芭蕉,《澹园消夏》诗中的“芭蕉生昼寒,四照窗户绿”和《初秋园居偶成》诗的“偶分字课入芭蕉余园中芭蕉甚盛,近日戏以此作书”句,当为写实之作。据《续澹堪年谱稿》,民国十三年(1924)秋,成氏适在北京居住。民国十七年(1928)6月,他自京回吉林,7月至齐齐哈尔,下旬去哈尔滨与老友马忠骏、陈浏、张朝墉相晤。8月初返吉林,继之赴沈阳,下旬旧病复发,由家人护送返籍。旧历十月初九,逝于吉林本宅,享年六十六岁。这片蕉叶书,可能是这年由成氏从北京带来赠予齐齐哈尔旧友的。

张謇书极乐寺山门匾

贺文章

哈尔滨极乐寺落成于民国十三年,北方名僧天台宗四十四传弟子倓虚任第一任主持。寺庙筹建中,东省特别区行政长官朱庆澜曾向北洋政府执政段祺瑞写信征匾,段为之题写了“宏范三界”四个大字,制成木匾,悬挂在大雄宝殿之上。寺庙临近开光,山门匾尚未就,于是朱又向张謇发出邀请，得到慨允。所题“极乐寺”三个大字，魏体楷书，字体浑厚质朴，端庄遒劲，气势恢宏。匾长478厘米，高135厘米，白地黑字，上款“民国十三年七月”，下款“南通张謇”。

张謇(1853—1926)，江苏南通人，字季直，号啬庵，一作啬公。幼时聪明敏捷。相传塾师尝出对云：“人骑白马门前过”，謇略一思索，对以“我踏金鳌海上来”，师为之惊叹。十六岁成秀才，后在吴长庆幕办理文牍，顺天府乡试中举人，清光绪甲午(1894)会试状元，授翰林院修撰。以中国积弱，见侮列强，屡上书陈利害得失，不被采纳，乃退而筹办实业。从1895年起，创办了大生纱厂等许多企业。还举办了一些文化教育事业。1905年他创办南通博物苑，是中国人自己办的第一所博物馆。清末参与发起立宪运动。辛亥革命后，任南京临时政府实业总长。1913年任袁世凯政府农商总长，袁即将称帝时，辞职南归。1925年，大生纱厂负债被清算，次年病故。著有《张季子九录》、《张謇函稿》、《张謇日记》、《啬翁自订年谱》等遗著九种，子孝若为之刊行。

刘春霖为哈尔滨文庙题匾

贺文章

高悬于哈尔滨文庙大成殿上的“道洽大同”匾，为清末科状元刘春霖所书。匾长3.04米，宽1.43米，金色云龙浮雕框边、蓝色底衬，正中阳文“道洽大同”四个鎏金大字，从右向左，端庄凝重。左下款题有“刘春霖敬书”五字，并有篆书阴刻印章两方。

“道洽大同”四字，笔力浑厚，结构严谨，遒劲平整，有欧骨赵体风格，颇似清代书法家汪由敦、董诰流派，为典型的“馆阁体”。

刘春霖，字润琴，号石箕，1872年生于河北省肃宁县北石宝村。光绪三十年(1904)甲辰科状元。次年，清廷迫于各方压力，“停止科举，推广学校”，刘春霖成为中国封建社会的最后一科状元，故自称“第一人中最后人”。

“道洽大同”匾写于1926年，是黑龙江省现存近代匾额中的珍品，保存完好。已收入即将出版的《中华名匾》一书中。

卜奎豆芽店联

李　龙

黄豆芽、绿豆芽是卜奎(今齐齐哈尔)民众喜爱的蔬菜,春秋两季的佐餐佳品。余至卜奎数十载,亦喜食之。曾闻长者曲某云:旧时卜奎城南街市相连,大鱼市、小鱼市为蔬菜鱼肉集散之所。有刘氏者数代经营豆芽生意,所生豆芽无根,白壮且长,质最佳。相传刘氏太祖开张时,有流人方氏题联相庆,上下联各七个"长"字,横披亦四"长"字。刘老初不识,经方氏一读,遂喜上眉梢,大呼:吾业兴矣!联贴出后,人皆称奇,轰动一时。此联传数代,经百十载,豆芽在卜奎已进入千家万户,刘家小店亦经久不衰。问今刘家店房及方氏后人何在,答曰:均不可考,亦闻长辈传言。又问此联及读法妙在何处,答曰:长属江阳韵,平声读长(cháng),乃长短之长,仄声读长(zhǎng),生长之长;仅此平仄读音,按平仄之韵读之,朗朗上口。细品此联,阴阳顿挫,平仄相合,妙不可言。吾试以上联平仄平仄平平仄,下联仄平仄平仄仄平,横披仄平平仄读之,恰似根根白胖豆芽儿生机勃勃地竞相生长;又以其他平仄格式读之,亦颇有情趣,遂记之。

萧红父亲自署门联

姜世忠

著名女作家萧红,原名张乃莹,1911 年生于黑龙江省呼兰县。其父张廷举,字选三,毕业于省立齐齐哈尔优级师范学堂,因学业优良,奖励师范科举人。曾在汤原、巴彦、齐齐哈尔和呼兰等地任小学教员、校长、县教育局长、通俗教育社社长、省教育局秘书等职。解放后,以开明士绅资格代表呼兰县参加松江省人民代表大会。萧红母亲姜玉兰在萧红九岁时病故。由于祖父张维祯的溺爱,萧红自小养成了任性、好学、倔强的性格。

萧红在哈尔滨东省特别区立第一女子中学毕业后,因继续求学和婚姻问题,与家庭闹翻,愤而离家出走。在封建思想禁锢人们头脑的时代,萧红的叛逆,无疑给有着一定社会身份和地位的张廷举当头一棒。人们议论纷纷,"张家的姑娘跑了"。社会舆论的强大压力,迫使张廷举宣布开除萧红的祖籍。而性格倔强的萧红,宁可流浪街头,也绝不再登张家的门。父女关系行同路人。

父女矛盾再深,亲情总难以泯灭。萧红在爱情上的波折和生活上的坎坷,使她时时思念着家乡，思念着亲人。萧红在后期写的《小城三月》中，用饱蘸激情的笔，描绘她父亲的开明、进步和家庭生活的民主和谐。而性格温和，有着正统封建思想的张廷举，思念女儿之情只能深深地埋在心底。

1948年春节前，在新四军黄克诚将军属下任职的萧红的弟弟张秀珂回家探亲，张廷举十分高兴。春节时，亲自撰写一副楹联贴在大门上：

惜小女宣传革命粤南殁去，

幸长男抗战胜利苏北归来。

上联叹惜女儿萧红为宣传革命，不幸在香港逝世，惋惜之情溢于言表。下联为儿子在抗战胜利后回家探亲，不仅内心十分喜悦，而且充满自豪之情。

一副俞樾手书对联

柳成栋

1983年春，我从省文物商店购得清代著名学者、经学大师俞樾手书对联一副。该联原为巴彦县已故图书馆馆长陈璠先生旧藏。

对联系隶书，长143厘米，宽33.8厘米。文曰："松阁靠山云宿早，舫斋跨水月归迟。"上款题"芝孙大兄世讲属书"，款上端有二龙环抱的

阳刻篆文章一方，文曰："先皇天语，写作俱佳。"底款为"曲园俞樾"，款下有阴刻篆文章两方，一为"曲园叟"，一为"右台仙馆"。俞樾所著《春在堂全书》中收有《春在堂楹联录》三卷，而这副对联却未见收录。

俞樾擅书法，求书者甚多，通常多以行草应之，篆、隶则轻易不写。这副端庄古朴、笔力沉稳的隶书对联，从题款可知系写给情谊颇深的友人。

从下款"曲园叟"、"右台仙馆"两章中，可以看出是俞樾晚年所书，自称叟，当在五十岁以后。"右台仙馆"见于其自著《九九消夏录》："右台仙馆在右台山之阳，其右旁树槿为垣，编竹为门，中间有屋，前后各三楹。"又见于其自撰《右台仙馆笔记》："余自己卯夏姚夫人卒，精神意兴日就阑珊，著述之事殆将辍笔矣。其年，葬夫人于钱塘之右台山，余亦自营生圹于其左。旋于其旁买得隙地一区，筑屋三间，竹篱环之，杂莳花木，颜之曰'右台仙馆'。"己卯为光绪五年，即1879年，此时俞樾五十六岁。"右台仙馆"章，在斯馆建成后方能出现，所以这副对联应是俞樾五十六岁以后所书。

于右任书法有代笔

张第东

国民党元老、美髯公于右任先生，工书法，名重一时。国民党定都南京，以其耿介清廉，德高望重，遴任监察院院长。当五院及各部成立时，机关名称牌匾，大都出其手笔。他如灵谷寺、玄武湖、莫愁湖、清凉山、鸡鸣寺等名胜古迹，亦多有其楹联或题词。先生书法苍劲潇洒，自成一格，各界求其墨宝者甚众，大有洛阳纸贵、应接不暇之势。其初，先生于公余之暇，择其知名度高难于谢绝者书以应之。后求书陈纸堆积如山，深感却之不恭，受之实难。恰其外甥周伯敏随先生学习书法，临摹其笔力气势，臻于成熟，惟妙惟肖，几可乱真。于是，令周书就钤其印章以代之。所代书墨迹，若非对书道有所研究，很难辨明真假，无不视若先生亲笔，珍而藏之。尔后代书之事传闻于外，但于老年事已高，精力有限，且公务忙碌，求其墨宝，实属不易，故周所代书，虽明知非真，亦感难能可贵了！

个中情由，是1932年我在金陵时，国民党中执委、宣传部长张道藩之胞弟张宣泽亲口对我说的，印象甚深，因而志之。

冯玉祥题写“寅初亭”

李新邦

抗日战争初期，马寅初先生任重庆大学商学院院长。这时期，他为坚持抗战，争取民主、进步，发表了许多言论，在“大后方”激起强烈反响，于1940年被当局下令秘密逮捕。事发后，重庆大学商学院的同学们进行了许多营救和抗议活动，其中的一项就是决定在校园内建立一个“寅初亭”。1942年夏，我受商学院学生自治会的委派，去请冯玉祥将军为这个亭子题写亭名匾额。

冯玉祥将军当时住在重庆近郊的歌乐山上。恰好我认识的一位王相毅先生兼任冯的家庭英语教师，我请王先生代我向冯将军申请，很快就得到了应允，并约我到他家去。

一个星期日的上午8时左右，王相毅先生领我来到冯玉祥将军家中，在一间不算很宽大的客厅里，他接见了我，在场的除王先生和冯将军的一位副官之外，别无他人。我说明来意并递上学生自治会的介绍信后，冯将军亲切询问我的姓名、年龄、籍贯。听了我的籍贯后，他询问了我同乡的两位人士，其中一人恰好是先父的旧交，我据实相告。这样一来，使我初进门时的拘束情绪很快消失了。随后，他说："同学们给马先生修个亭子，表示你们敬佩他的为人，信服他的正义主张，这很好；但是，更为重要的是，你们应把马先生的主张宣传、扩大出去。你们有那么多的同学，如果每个同学给三五个亲友写信，介绍和宣传马先生的主张，三五个亲友再向三五个亲友写信宣传，持续下去就会有很多很多的人知道马先生的主张了，力量就大了。希望你们能够这样做。今天你们让我写这个匾，我就遵命。"我点首称是，答应回校后一定传达。然后，他让副官在客厅的一张长桌上摆上笔砚，研好墨，我把带去的一张宣纸铺到桌中央，冯将军就提起一支大笔，蘸了墨汁，笑着对我说："我就对客挥毫了！"说罢就动手写起来。当写到"初"字时，他忽然停笔问我："初字究竟是'衣'旁，还是'示'旁？"我平时对此未曾留意，被他突然一问，不免愕然，未敢立即答复。他自己也不能肯定，就拿起我带去的介绍信，想看看那上面是怎么写的。但是，信上也写得不真切。于是他一面让副官去查字典，一面继续写下去，先写成"示"旁。并用笔尖指点着说："我这里先写一点，如果是'衣'旁，我再加一点，行不行？"说毕，脸上露出一丝微笑，饶有风趣；而我惟有诺诺，心中不免惭愧。当副官查明"初"字是"衣"旁后，冯将军遂加了一点了事。写完，冯将军坐下来对我说："今天我弄清楚了初字的写法，是一次学习，有一点进步，今后不能忘记了。你今天也弄清楚了这个

字,今后也不要再忘记了。你回校再给写这封信(指介绍信)的同学上一个‘条陈’,让他也能记住这个字的写法。”谆谆教诲,诚挚动人。我不但当时受到了很深的教育,就是在其后半个世纪的岁月中,也没有忘却。

冯玉祥将军送我书画

李北开

冯玉祥将军虽是行伍出身,但很喜欢书画,有时兴致来了,也为人写字作画留念。1943 年 9 月,冯将军来乐山为抗日战士募捐,在募捐会以后,我同几个同学去访问他,并准备了纸,也想请他写几个字,留作纪念。

这天,天气很好。在多雾的乐山,这是最晴朗的天了。我们到了冯将军下榻的地方,说明了来意。他很高兴,接受了我们的请求,并要我们坐下。我们站在将军面前,笑着说:“不坐,不坐。”冯将军爽朗地笑了:“啊,你们这是要我马上给你们写呀,好,好,我马上写!”听着冯将军的话,我们都笑了,心情也变得自然了。

冯将军拿起笔来,先看一下每个人的面孔,然后在铺好的纸上,挥笔写下一些历史人物的名字。在男同学的纸上,多数写的是“岳武穆”、“文天祥”、“史可法”,女同学的纸上,写的是“花木兰”、“梁红玉”、“秦良玉”。写完之后，他看着同学们说：“明白这几个字的意思吗？现在是抗战时期，是与敌人斗争的时期，我希望你们这些有知识的大学生，男的要学岳飞、文天祥、史可法的英雄行为，高尚气节；女的要学花木兰、梁红玉、秦良玉的英雄气概，做一个女中巾帼啊！”他是用严肃的口气向我们说的，我们也都严肃地听着，默默地点着头。

同学们向将军行了礼，要告辞了，这时我才发现我的一张纸粘在另一张纸的背后，还没有写，我有些发窘了。将军看到了，连说：“不要紧，我这就给你写。”我忙着说：“谢谢冯将军！”将军看了看我，问我是哪里人，我回答说：“辽宁沈阳。”“啊，东北人，好，不要再流浪了，打回老家去！”说着，拿起笔，竟在我那张纸上画了一个大茄子，接着又在上面写了以下诗句：

大茄子
紫光光
多吃点
打到鸭绿江

同学们一边看，一边“啪，啪”地鼓起掌来。我的眼睛湿润了，随着同学的掌声，我向冯将军行了礼，表示感谢。

这是四十多年前的往事了，情景至今深记不忘。冯将军的诗画，一直伴我从四川回到东北，又从沈阳伴我来到哈尔滨，它曾给了我极大的鼓舞和力量。

两方独具一格的名号印

王　竞

往岁，我在南京图书馆借观清咸丰四年杨氏海源阁刻《应潜斋先生集》,见首页钤有“彊圉涒滩”、“彊圉柔兆”朱方篆文印两颗,篆刻俱佳,十分悦目;初以为纪年印也,而未加深考。以后,又去杭州西湖内浙江图书馆，见丁氏八千卷楼旧藏,很多钤有此二印,始感有异,急查《尔雅·释天》:太岁“在丙曰柔兆”、“在丁曰彊圉”、“在申曰涒滩”,豁然悟,二印乃丁申、丁丙兄弟姓名印也,不禁哑然失笑。

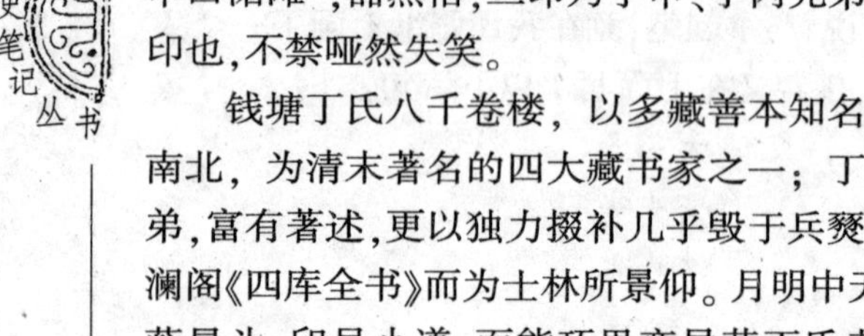

钱塘丁氏八千卷楼，以多藏善本知名大江南北，为清末著名的四大藏书家之一；丁氏兄弟,富有著述,更以独力掇补几乎毁于兵燹的文澜阁《四库全书》而为士林所景仰。月明中天,不蔽星斗,印虽小道,而能巧思变异若丁氏者,同好或亦乐闻欤?

有清一代,文人治印发展到了巅峰,形制印文,千姿百态,丁氏兄弟上记二印,在众多名号印中,又独具一格。其实,类似的印章,明代已可见其端倪。《天禄琳琅书目》著录嘉靖间浙右名家项笃寿旧藏,钤有“马生角”印。“马生角”语出《史记·荆轲传赞·注》:“燕丹求归,秦王曰,乌头白，马生角，乃许耳。”以之入印，一可解为隐喻版本难得，又可解为藏者名中“笃”字的离合体，比之丁氏二印，异趣同归，又有一语双关之妙。

朱雪轩治印

谭彦翘

印章作为篆刻艺术，远代莫论，自清季以迄民国，人才辈出，安吉吴昌硕，四明赵叔孺，皆一时之彦。绍兴朱雪轩(名文涛，字雪轩，以字行)早年游幕吉林，晚岁转徙哈尔滨，治金石文字之学垂五十年，以绪余为篆刻，追摹款识，规杭古玺，仿效封泥，各得其妙，每治一印，莫不生趣盎然，腾跃于方寸之上。尝为奉节张朝墉、江浦陈浏、海城马忠骏、泾县吴家琭制名印、署押、斋馆印，均极见精彩。半园老人张朝墉曾以诗赞之曰：“悲庵倜傥吾心醉，完白平衍非所崇。雪轩先生一炉冶，笔参造化天无功。……鈲摫偏旁慎疏密，行神如空气如虹。……雕琢一字酒一钟，导乎先路来者宗。”晚年困于贫病，因寄书友人谓：“仆老矣，生平所作未有深知如执事者。设旦晚不讳，此戋戋残丛惧与仆命运俱填沟壑耳！若获徼惠，执事璩而存之，则身后之名，感且不朽。”迄民国十七年(1928)遽归道山。翌年，友感其言，为集印七十二方，精印《雪轩印存》两册，并亲为

序跋，跋尾有云："篆刻小技耳，而精之可进乎道，故名家取法最慎。"雪轩以"毕生精力消磨于一刀一石之中，用能不假雕琢辄与古玺汉泥不期而合。比之缶庐，实一时瑜亮，然世知有缶庐而不知有雪轩。雪轩自涉世以迄盖棺，曾无赫赫之名见于士大夫之口，倘所谓不自炫襮，未肯以雕虫小技与人争短长者耶！"噫！篆刻固小技，其显与不显亦机缘与际会乎？

邓散木的"怪"与"畸"

王建国

一、邓散木的字号与个展

已故著名书法篆刻家邓散木先生(1898—1963)，原名铁，字钝铁。自从书刻有了些名气，社会上相效改名用"铁"的一下子出了好多，他干脆来了个"人取我弃"、"人弃我取"，从三十岁(1927年)后易名粪翁，并名居室为"厕简楼"，自号"厕简子"。他取"粪"字，是"粪除"，也就是"涤荡瑕秽"的意思。

1936年邓散木(粪翁)书刻个展在上海大新公司画厅举行。其请柬不用当时流行的布纹纸或卡纸铅印或石印，而用一种黄色土纸，印以自雕的木板。措词甚简，寥寥数十字，大半为古体，如假作“叚”，展作“㠭”，俨如半页精印的雕版书，古色古香，不落俗流，一时传为佳话。

当时上海《力报》有篇专题报道，写得很有意思。文章的主标题是“登粪厕，看粪展，读粪画”，副题是“参观者人多于‘蛆’满‘坑谷’，卫生‘草纸’的号召力果然不差”。文中写道：“……受卫生草纸之邀，而去登厕的人，都是高人雅士之流，绝对不是‘逐臭’之夫，而粪楼的空气也绝对不浑浊肮脏，至于陈列的作品更成一个反比例，真可说是高流雅会，满室生香。”文章认为“他简直是个万能的艺术大师，因为粪翁不仅金石书画俱称精湛，就是书法之中，不论正草隶篆，欧苏赵王，上下古今，各体各派，他都登堂入奥，得其神髓”，“粪翁的金石书法，内外一致推许，大家公认他的作品死后必传，那么，乘这展览期间，定几件下来，将来传给子孙，等于我们现在重视唐画祝字……”。

二、别开生面的款客约言及请柬

邓散木最讨厌虚伪、做作，待人接物从不用虚文缛礼。他在上海寓所的书斋里挂着一张“款客约言”：

去不送，来不迎，
烟自蓺，茶自斟，
寒暄款曲非其伦，

去，去，幸勿污吾茵。

那时候去过邓家的客人，对这张“款客约言”都有深刻的印象。

20年代邓散木(当时名邓铁)和张建权结婚时，不雇轿，不点花烛，不收贺礼，不摆酒筵，只给知己的朋友发了一张十分简单的明信片：

我们现在定于中华民国十五年四月十八日下午三点钟在南离公学举行结婚仪式，所有繁文俗礼，一概取消，只备茶点，不设酒筵。

到那时请驾临参观指教，并请不要照那可笑而无谓的俗例送什么贺礼；倘蒙发表些意见，和指导我们如何向社会的进取途径上前趋，那便是我们比较贺礼要感谢千百万倍的。

你的朋友 邓铁
张建权 鞠躬

三、“三长两短”

邓散木先生在上海寓所的书房里挂了一块匾额：“三长两短之斋”。本来南方人谈话中“三长两短”是死的避讳说法。他却借用这个词来形容自己的艺术：刻、诗、书是“三长”，绘画，填词是“两短”。对于“三长”，他自己说：“世人但知我的书法，其实我的篆刻和诗都比书法好。”

他的篆刻上追周秦古玺，近摹浙皖诸派，在此基础上自成面目，以其雄浑朴厚，大气磅礴的风格在印坛独树一帜。30年代即有“北齐(白石)南邓”之称。他不但注意印面文字，对边款也很下功夫，篆、隶、草、楷、行各种书体都可刻入边款。偶一遣兴，所刻造像、肖形，也都神完形足，饶有兴味。他腕力惊人，除石章外，牙、银、铜、玉，乃至水晶、玛瑙、翡翠，都能如意奏刀。

邓散木的诗就像他的性格一样，奔放淳真。他一直喜欢龚自珍的诗，但早年和中年更喜欢豪放的诗，如陆放翁、苏东坡、李青莲等，自己所作也豪气纵横，奔放跌宕；晚岁则渐趋淡泊、深沉，喜欢陶渊明、杜少陵。1983年百花文艺出版社出版了《邓散木诗选》，向世人献出了他遗留下来的许多诗作。

他的书法纵横捭阖，气雄力厚，篆、隶、正、草，各体咸精，蝇头、擘窠，大小由之，更进而融各体书的特点，自成一家。晚年病腕后所作“草篆”、“草隶”，独辟蹊径，风格高古。1980年于中国美术馆举办的“邓散木金石书法展”，每一件有每一件的面貌，数百件而无一雷同。

邓散木所自谦的“两短”：绘画和填词，是与“长”相对而言的，偶一遣兴，也颇有意趣。他首次出示绘画是1940年在上海举办的“师生书刻合展”，他展出的十数件画竹，钤尾都有“短中取长”一印，他画竹运金石气于修篁滴翠中，故所造特厚，非俗手而得望其项背。

四、章士钊赠诗"畸士"

1934年,邓散木书刻个展在上海湖社举行。当时学问自负很深,轻易不肯许人的章士钊先生,看了邓散木书刻个展,大加赞赏,特写了一封信给《晶报》,说:"今日得览粪翁所设各体书法,并皆精妙。粪翁弟不知何许人,亦并未闻有人道及,并世有此善书的畸士,而名誉不闻,似是读书人之公耻……"并附诗一首赠给散木先生:

粪翁鼻头着何粪,
却惹荀令三年香。
偶尔龙蛇一挥洒,
高堂素壁生奇光。
平生论书先人品,
汀州嘉兴斯道强。
畸人畸行作畸字,
矢溺有道其废庄。

散木先生得诗后,即答诗一首:

吾道真同乾矢橛,
一橛头禅孰会之。
拥几前朝供入彀,
撩天旧梦听成丝。
平居歌哭怜生意,
向晚疏狂总费持。
直待相逢人海里,

累君辛苦为题诗。

从此，邓、章二人诗书酬答，往返几十年，成了文字知己。

满族戏——“朱春”

隋书今

满族戏——“朱春”，有的地区又称“朱赤温”，满语意为戏剧。是融说唱文学、八角鼓、“倒喇”(歌舞演唱)、民歌与莽式舞为一体的满族民间戏曲艺术。满语称唱戏人为“朱春赛”，也有称为“达拉密”的。通称唱戏和演戏为“朱春拉米”。

民国年间，只是在满族聚居的热河、会宁(黑龙江阿城)、伯都讷(扶余)、乌拉街、瑷珲和肇州等地，还有演出活动。

“朱春”演出形式有大戏、小戏两种。小戏

包括拆唱、八角鼓戏、“倒喇”演唱、下地戏和应承戏等形式。小戏只有两个演员，如同现在的二人转，从两侧出场，边唱边舞，以满语演唱，有乐器伴奏。大戏则人物众多，如《萧坤珠逃婚记》，生旦净末丑行当俱全。其中丑角十分活跃，使满台妙趣横生。“朱春赛”均为男性。表演讲究逼真和夸张，装龙像龙，装虎像虎。满族戏剧目多少不详，保留下来的有《祭神歌》、《额真汗》、《错立身》、《萧坤珠逃婚记》、《张郎休妻》、《对菱花》、《虎头牌》、《奥尔厚达喇》、《胡独鹿达汗》、《济尔图勃格达汗》和《黑妃娘娘》等。据看过满族戏的人回忆：满族戏大都有歌有舞，唱词讲究押头韵，风格粗犷豪放。曲调较多，分男女腔，用声音区别男女老少，忠邪善恶。演出时化妆，一般男人扮相俊美，穿长袍，披褂子有云纹镶边，帽口有貂尾或松鼠尾装饰，下穿套裤，脚着靰鞡鞋。

《龙沙剑传奇》——黑龙江的第一部戏文

王全兴

清嘉庆三年(1798)，安徽天长廪生程煐因父罪流放黑龙江。也许由于他是个文人，到齐齐哈尔后，官府对他并没有严加看管。在百无聊赖中，他偶然想起《神仙传》等一类神怪故事，经过一番构思，一出出精彩的戏文腹稿便诞生了。

时值初冬，边地早寒，他呵暖冻僵的手指，废寝忘食，夜以继日，不满十天，竟写成《龙沙剑传奇》，共三十出戏。其内容为神和魔之间的斗争，以李鹬夫妇的悲欢离合、弃官悟道为主线，表达了善良一定能够战胜邪恶的主题。

程煐自诩此戏文是“上惭实甫，绝世丰神；次逊东嘉，天然本色；望玉茗之雄丽，颦笑西家；步石渠之清华，竽吹南郭。自惭形秽，所不待言。然而按谱循声，兴亦不浅。贯穿排比，俨成无缝之衣；上去阴阳，宛合自然之籁”。戏文写成后，有“梦熊钓叟”和“二吾居士”为其作序并着意评点，还有一些人为其作跋和题词，哄动一时。

此后，程煐的才华受到赏识，也得到了黑龙江将军、副都统等地方官员的器重，成为副都统恒玉的幕宾。这使他有机会结识黑龙江的主要文人西清、刘凤诰等，并结为诗友，吟咏地方风物，歌颂边疆山河，写下了许多诗作。

程煐曾镌一篆文印章“一帆重返大江南”，意在表达思乡之情。但他的流人处境无法改变，终不得归，嘉庆间病死在齐齐哈尔，由其挚友刘凤诰归其遗骨，安葬于天长。

黑龙江地处边陲，开发较晚，程煐流放时，仍在封禁。偶有庙会，须从内地请戏班子来演出，会后即各自离去。在此之前，当地压根儿就没有人写过戏。

1980 年图书馆系统编制《中国善本书总目》,齐齐哈尔上报了《龙沙剑传奇》这部嘉庆年间的抄本。我当时在省图书馆工作,看到了这部书,经考证认定,它是黑龙江第一部戏,也是惟一的一部清传奇作品。

《杨三姐告状》诞生在哈尔滨

刘　炎

民间戏曲表演艺术家、作家,被评剧界推崇为评剧的奠基者和创始人的成兆才(1874—1929),艺名"东来顺",河北省滦南县人。他一生创作、改编、整理了一百多部剧本,其中反映当代生活的"便衣戏",也叫"时装戏"(即今天的现代戏),有十二出。他的剧本被时人誉为"评古论今,警世化人"之作,他组的戏班警世戏社,曾于民国八年(1919)来哈尔滨演出。其间,成兆才的同乡李兴洲亦来哈, 李向成兆才讲述了家乡发生的一件事:地主子弟高占英与其大嫂、五嫂通奸,合谋杀害了其妻杨二姐,二姐之妹杨三娥替姐姐鸣冤告状。此事轰动了冀东一带。讲述者李兴洲便是杨三娥的表兄。兆才听罢这段奇闻,十分愤慨,在当时"五四"运动反封建思潮的影响下,便写成了他第一个时装戏《杨三姐告状》。由

著名评戏艺人金开芳饰杨三姐，月明珠饰杨二姐,成兆才本人也参加了演出。这出戏在哈尔滨道外庆丰剧院首演成功,引起了强烈的反响,一直流传至今。

李金顺与《爱国娇》

董金锷　王晓明

李金顺是早期评剧界的著名人物。原籍天津。十六岁拜东发仁(孙凤岗)为师,曾与倪俊生、喜彩春等合组元顺戏社,领衔在天津、沈阳、哈尔滨等地演出。1928年,李金顺在哈埠演出时,被哈尔滨的《滨江时报》、《小午报》以醒目标题赞为“落子名星”、“评戏皇后”。

一天，有位自称是哈尔滨商业专科学校教授名叫曹尖兵的，交给李金顺一个剧本《爱国娇》。她接过剧本后,决定三天后回音。演完《杜十娘》虽然很累,但她被剧本《爱国娇》中主人公闵爱华的形象吸引住了,竟忘了吃夜宵。剧中闵爱华之父为保存在日本银行中的存款，要将女儿嫁给银行行长,却遭到她的坚决反对。主人公激昂的爱国之情深深地打动了李金顺，她不顾疲倦，在剧本上写下唱词一段:“自从南京条约出现,泥国(指日本)人首先动了野蛮。看我国如同他们的属地,待我国的官吏如同他们的属员。

视我国的同胞似牛马，拿我们的法律作笑谈。我们死活全无人管，母亲哪，你还说什么告状与伸冤。”

此时正是“五卅”惨案后的第三年，爱国浪潮在祖国各地此伏彼起。李金顺两天就改完了剧本，并以最短的时间将戏推出。

李金顺为演好女大学生闵爱华的形象，特地到秋林公司服装店制做了三套学生服，还自己出钱购置了灯光布景及现代家具。在她的带动下，戏中凡饰演女学生的演员都到理发店剪成了短发。

《爱国娇》一上演，立即轰动哈埠，受到社会各界爱国人士和学生的高度赞扬。人们争先观看，报纸连续发表报道和评论文章，赞扬李金顺与她演出的剧目。

可惜美玉落入污泥之中。李金顺后被哈埠大舞台业主张景南第六子、军阀时期当过“统带”、伪满时当汉奸走狗的张冠英(绰号小六子)垂涎，霸占为妾。1933年她退出舞台，1937年迁居天津香港路一幢别墅中隐居。一代名伶就此憾别舞台。

李杜看评剧

王　越

1929 年，评剧(当时称落子)演员筱兰芬到依兰县演出，特派人给镇守使李杜送请柬。李见是落子班演出，将请柬一推，并告诉属下，演这“玩艺儿”有伤风化，只准筱兰芬在依兰演出三天。

第三天晚上，筱兰芬告别演出时，李杜带着马队巡城。当走到戏院门前时，见众人围观，议论纷纷。李杜问这些人在干什么。人群中有人喊道，看镇守使的告示。戏院门前立有一块“镇守使只准演三天，伤风败俗不可观”的大告示牌，却成了招徕观众的海报。李杜大怒，走进了戏院。筱兰芬正在演唱《刘翠屏哭井》的大悲调，如泣如诉，感动得许多观众跟着流泪。李杜看了一会儿，不想也被带入剧情，哭得泣不成声。随员见此情景，大声喊道：“别唱了，大将军没带手绢，眼泪没法擦呀！”李杜却挥手示意演下去。当筱兰芬演另一出《杨八姐游春》时，又把李杜逗得哈哈大笑，前仰后合。临走时说：“落子这玩艺儿，很有趣，大人小孩都可以看嘛！”

胡二浪受辱艺更精

张　川

黑龙江省著名二人转演员胡景岐，14 岁扭大秧歌时，唱了一段《蓝桥》中的走十步："一步两步连环步，三步四步菊花安，五步六步红芍药，七步八步绿牡丹……"他把"绿牡丹"这句唱词唱得既高昂又清脆，因此得名"绿牡丹"，后来大家看他演出舞蹈身段优美，唱腔甜润婉转，扮相俊俏，又给他起了个艺名叫胡二浪（排行老二）。所谓浪者主要是指舞蹈健美、欢快、火红热闹。当时他虽然会的二人转段子不多，但在讷河县远近闻名，人们都知胡二浪演二人转唱做俱佳。

可是，一次到讷河县城北丁于凤屯演出时，有位张大爷，点了一出《卖油郎独占花魁》，班子安排让南来红演花魁，当时南已经 30 多岁了，扮相不佳。张大爷一看就生气了。问："胡二浪为什么不演花魁？"胡二浪上前鞠躬施礼说："大爷，我不会呀！"张说："你不会？纯粹是瞧不起我。你们别唱啦！"就这样第二天被撵出屯子。胡二浪心里很难过，暗下决心学会。从前屯到后屯的路上，果然把花魁的唱词学会了。

第二次是和著名二人转艺人李泰搭班到讷

河县嘟噜坤浅屯演出,有位马大爷点了《小老妈开嗙》。这个戏胡二浪仅会一半,唱到傻柱子接媳妇便结束了,马大爷火冒三丈说:“为什么不开嗙?”胡二浪说:“马大爷,我不会开的词儿呀!”马大爷一听火上加油,说:“什么不会,你明明是没瞧起我。不会就别唱啦,吹灯拔蜡。”逼得胡二浪一夜之间又学会了“开嗙”。

第三次是在讷河县河北屯演出时,李二大马棒点了一出《马寡妇开店》,点名叫胡二浪演马寡妇,胡不会,又被赶出屯子。

胡二浪三次受辱,三次受到沉重打击。他决心下苦功夫多学段子,想尽各种办法,克服种种困难,在短短两年多的时间里,便学会了《大西厢》、《蓝桥》、《阴魂阵》、《浔阳楼》、《李翠莲盘道》、《铁冠图》等六七十个段子。从此到各地演唱再也不挨憋了。

中国第一家电影院及早期纪录片

姜东豪

哈尔滨首座电影院,也是中国的第一家电影院。建于清光绪二十八年(1902),故址在今哈尔滨市道里区中央大街西十二道街转角处,创建人是俄国从军摄影技师考布切夫。它比北京、上海最早的电影院要分别早四到六年，比西太后在光绪三十一年(1905)七十大寿时第一次看电影还早两年。在世界范围比较，则与号称“世界影院之最”的美国洛杉矶电气影院是同年所建。

哈尔滨首座电影院的创建人考布切夫，还摄制过三部纪录电影：

第一部纪录片《旅顺之战》(片名系作者据内容所加，下同)摄于 1905 年，该片由法国商人瑷杂斯带去京津沪放映后，于 1906 年经黑龙江省交涉局批准到齐齐哈尔租用阔米萨尔戏园放映一月，观者“皆曰俄战攻真迹，枪击炮轰，马驰人行，与生者无异”。

第二部纪录片《安重根刺杀伊藤博文》。据伪满国务院办公厅弘报处在伪康德六年(1939)编印的三十一期《弘宣半月刊》载：“前年在哈尔滨发现有俄国从军摄影技师高部且夫(即考布切夫)氏所摄之伊藤公在哈尔滨遭难实况影片。”据此推断，该片当摄成于 1909 年，并收藏于哈尔滨多年。如此重大题材的现场纪录片，在中国和世界电影史上均属罕见。可惜今已不复得见。

第三部纪录片《东三省总督赵尔巽巡狩过哈》。摄于 1911 年，当时放映于哈市中央大街电影园，从摄制到放映不出旬日，《远东报》称：“每当夕阳西下，公园散后，仕女游人相偕去中央大街之电影园聚兴，所演皆赵督军来哈新片‘真情皆露’云尔。”

哈埠早期中国电影园

姜东豪

清代末年，哈尔滨有六家外国人经营的电影园，并摄有三部历史纪录片。1908年前，俄国人阿列克赛夫在今中外闻名的马迭尔宾馆处建立的远东影业公司，比美国人宾杰门·布拉斯基在上海开的亚细亚影业公司至少早出一年以上。民国八年(1919)时，地方财政收入仅电影捐一项就达羌洋四百五十万元，可见清末民初哈尔滨电影业已甚发达。

民国五年(1916)中国人在哈开办两处电影园。一处是原在远东影业公司练习过放电影的山东福山人朱安东，在道外北二道街开设的吉江电影茶社。1916年12月3日午后一点开业，当日报称："一时观者如堵，场内几无隙地，而门外仍纷纷拥挤云。"半月后续有报道称："开业后营业颇佳"，"该园之电影，纯系新片，并于二楼上设茶店，极为清雅，故中外人士往观者络绎不绝。"另一处是商人陈云五(亦山东福山人)在傅家甸(今道外区)北三道街路西五云阁楼内开设的电影园，以羌洋八千元购置外国进口影机、影片。剧场容积长5丈，宽1.9丈(合现制103.46平方米)，场内男女分座，并设警察监督座。楼上亦设有茶社，名茶洋点心齐备，订有简章十条，从业人员七人，原拟 1916 年 11 月 20 日开业，后延至同年 12 月 5 日开业，每天午后二点开演，至晚十二点止，客座分三等，标价以羌洋计，包厢五角，池座三角，前四排二角。

哈尔滨口琴社冒险演播《沈阳月》

董金锷

1935 年秋后，哈尔滨口琴社公开演奏了一首合奏曲《沈阳月》，揭露“九一八”之夜日本军国主义者偷袭我沈阳北大营、杀害我同胞、侵占我国土的罪行。《沈阳月》原名《战场月》，由于标题过于敏感，改为《沈阳月》，由袁亚成作曲并指挥。

乐曲开始，先由几个队员吹缓慢而低沉的旋律，像一轮明月从东方缓缓升起，这是 1931 年 9 月 18 日沈阳的夜晚。随后，突然鼓声鸣响，似狂风暴雨突然袭来，日本军国主义者发动了罪恶的进攻，“九一八”事变爆发。接着乐曲时而如闷雷在空中滚动，时而如壮士面对易水悲歌，表达了爱国官兵奋起抵抗，被蒋介石强令撤退

的悲愤感情，在悲怆中蕴含着怒不可遏的力量。口琴社在巴拉斯电影院一连演出了三天，场场满座。演奏时，队员们个个面容严肃，眼角闪着泪花，声调激昂凄绝。演出后社会反响极其强烈。在哈尔滨中央放送局工作的中国人，还请他们到电台广播演出。

口琴社是共产党员姜椿芳、金剑啸、任震英等组织的。活动内容是教授和演奏口琴，宣传抗日。口琴社的活动引起了日伪地方当局的注意，演出后一些成员被迫转移。1936 年 4 月 12 日，口琴社社员袁亚成借送妻子陈涓去上海生孩子名义离开哈尔滨。任震英与侯竹友扮做夫妻，双双身着结婚礼服乘小汽车到火车站，又乘火车转往关内。1937 年 4 月 13 日，敌人将在哈的口琴社社员全部逮捕。口琴社队长侯小古于 9 月末英勇牺牲，王家文被监禁五年，其他成员因无“证据”，关押了半年多之后被释放。

任国治和白鸥弦组

姒元翼

30 年代后期，哈尔滨乐坛曾经活跃着一个小小的白鸥弦组。这是由爱好音乐的一家人所组成的，主持者是哈尔滨医学专门学校 1926 届学生、广东人任国治。他能演奏一手很好的小提琴，还组织母、妻、弟、妹等分别使用各种弦乐器合奏。他家住在道外正阳街(今靖宇大街)的三江闽粤会馆，同学们来访时，经常为悦耳的琴声所吸引。

学生会主席朱凤安因事到他家来，恰值他边拉琴边指挥一家人合弦，一位硕壮的青年引吭高歌。曲终得知，歌者是著名的男低音声乐家刘性诚。

白鸥弦组应邀在学校的节日活动、社会义捐、赈灾以及公开的音乐会上演出，并曾在马迭尔影院举办过专场。他们演奏世界名曲和上海传来的进步乐曲，博得了中、俄听众的赞赏，当时哈市的报刊上常有关于他们演出的照片和评论文章。

1932年夏，松花江泛滥成灾，哈市灾民陷于困境，中共满洲省委号召组织赈灾游艺会以救济灾民，白鸥弦组同许多进步文艺工作者一道，参加了为期半月的义捐演出。此前1927年，医专学生会曾组织演出话剧《归来》，宣传反封建，反对包办婚姻，受到学生的好评。

1930年任国治就职傅家甸医院任儿科医师，仍然保持音乐爱好，与进步文化人交往，同进步作家金剑啸、哈尔滨口琴社社长袁亚成、进步音乐教师刘性诚等人结为挚友。

1978年，任国治因病逝世。他从医近五十年，不仅是一位正直、热情、忠于职守的医师，他的音乐修养与爱国情操，也留给人们深刻的印象。

关宏达与体育

李丽馨

关宏达是我国早期著名的喜剧电影演员，然而他早年又曾是体育界的名人，今已鲜为人知。

关宏达就读于东省特别区第三中学(现哈尔滨三中的前身)时，和当时的“撑竿跳大王”符保卢是同学。关宏达虽身宽体胖，但酷爱体育运动，经常参加学校举办的各项比赛，以及外国人在哈市道里体育场举办的“周末运动会”。他还是30年代哈尔滨市的铅球、铁饼纪录的创造者和保持者，被称为“三铁大王”，曾代表“东特区”参加1929年的第十四届和1931年的第十五届华北运动会。在第十五届华北运动会上，关宏达的铅球(十六磅)投掷取得12.8米的好成绩，为“东省特别区”荣获中学组男、女团体总分第一，立下了汗马功劳。当时报界对他争相报道。其中一家报纸以《选手的形形色色》为题，描述道：“哈尔滨男选手关宏达，力士也，体重二百磅，现年十八岁，铁球成绩颇佳，常以滑稽口吻夸耀同侪。自谓本人善掷重之外，雅善百米，成绩十秒零一分……”令人捧腹。

关宏达于30年代去上海从影后，就很少在赛场上出现了。

赫哲冬钓

黄任远

生活在黑龙江、松花江、乌苏里江流域赫哲人的冬钓,充满了北疆情趣。在零下四十摄氏度的严寒里,在像镜子一样光滑的江面上,穿着皮衣、戴着皮帽的姑娘、小伙和老人,手拿“撅达钩”,不停地放进冰眼,向上猛提。鱼在水中误认为钩是小鱼,张口咬住即被提出冰面,扑腾几下就冻硬了。

在赫哲老人口中流传着一则关于冬钓的传说:那是很早以前,每到大江冰封时,渔民就再也捕不到鱼了。有个叉鱼能手叫苏布格,为了部落生存，不畏艰难去找鱼群。一天他抓了一条金翅罗锅鲤鱼。他问："天一冷，你们都躲在哪里了？"鲤鱼回答："每年霜降后，黑龙要到东海龙王那里去拜寿，把我们一个个关进龙宫，直到来年开江。"苏布格去找黑龙，战胜了它，让它放回了鱼群。从此，冬天即使冰冻三尺，只要凿个冰眼就能钓到鱼。

赫哲人冬钓的工具有冰穿、鱼钩。用冰穿打出冰眼，捞出冰块，就可以下钩。一般人一只手可同时拿三个钩，两手可拿六个钩，在六个并排的冰眼中钓鱼。钓到的鱼多数是狗鱼、细鳞、哲罗等冷水鱼类。老年人冬天钓鱼喜欢坐"冬库"，就是在冰面上搭一个草棚或木板房，里面凿一个二尺多宽的方形冰眼，人可以坐在房里烤火，等鱼自己上钩。这种方法常可以钓到大鱼。

冬钓是艰苦的，但也充满了乐趣。钓到鱼后架起篝火，一边烤鱼饮酒，一边听唱神奇的赫哲族史诗伊玛堪。此情此景令人神往，使人陶醉。

赫哲人的鱼皮衣裤

黄任远

赫哲人早年的衣服，多用鱼皮制成，故有"鱼皮鞑子"之称。

近代史籍对赫哲族服饰多有记载。清乾隆

间编纂的《皇清职贡图》记有:"衣服多用鱼皮,而缘以色布,边缀铜铃,亦与铠甲相似。"清代《东北边防辑要》记载:"衣鱼兽皮。"《松花江下游的赫哲族》记载其服装"夏用鱼皮,冬用兽皮制成"。

鱼皮衣服,赫哲语叫"乌提库",多为长衣。衣服襟口、袖口、托领、前胸和后背上有云纹和野兽图案,是用鹿皮染成红、蓝、黑等色,剪成各种形状缝上的;也有的买绦子镶在衣服边上;或将贝壳缝在衣服的下边缘,以示美观。

鱼皮套裤,有男女两种。男人穿的上端齐口,裤脚下沿镶黑边,叫"卧又克衣"。女人穿的上端斜口,叫"嘎荣",裤角上绣有花纹或镶云边,朴素大方。套裤多用怀头鱼皮制成,个别也有用哲罗鱼皮和狗鱼皮制作。冬天穿它抗寒,春秋穿它捕鱼可以防水护膝。

鱼皮衣裤上绣有卷云纹、鱼尾纹、波浪纹等图案。据考证,这同赫哲族古老的蛇、鸟、鱼图腾崇拜有关,认为穿上饰有这样图案的衣裤,会给自己带来安全和好运。赫哲族的鱼皮服饰,是由赫哲族的生活环境、文化传统和民族心理素质决定的。缝制方法是:先将鱼皮完整剥下,晾干、去鳞、熟好,使它和布一样柔软,然后将数张皮子拼成一大张,再行剪裁缝制。

水上快马——桦皮船

于学斌

桦皮船是鄂伦春、鄂温克、赫哲等民族早年惟一的水上交通工具。船体轻盈，疾驶如飞，有“水上快马”的美称。鄂伦春语称桦皮船为“木罗贝”，鄂温克语叫“佳乌”，赫哲语叫“乌末日沉”。

桦皮船的制作方法是先用樟松或桦木做成船架，然后用几张桦树皮包裹船架（一张压一张），作船底和船帮。桦树皮要求完整无孔。树皮的连接处用木钉钉，或用线连，再涂以松脂，以防漏水。

船的形状，三个民族大致相同，两端尖翘，中间宽，形似柳叶。鄂温克、鄂伦春族的桦皮船较之赫哲族的大一些。他们的船长 4.5 米，可乘三四人；赫哲的船长 1.2 米，只能坐一人。

因桦皮船船体极轻，鄂伦春族、鄂温克族“随行载于马上，遇水用之以渡”（《龙沙纪略》），赫哲族“如出海捕鱼，则负之海边”（《宁古塔纪略》）。船用单桨左右划行，速度极快，鄂伦春、鄂温克族桦皮船顺流每小时可行五十华里，逆水可行二十华里，赫哲族桦皮船逆水每小时亦可行十余华里。

桦皮船过去一直是鄂伦春、鄂温克、赫哲人

重要的渔猎工具，因为它不仅轻快迅速，而且划行时几乎没有声音，便于及时发现和接近到水边饮水的动物。如今，它已逐渐被各种机动船所取代了。

狗拉雪橇——拖日气

鞠桂兰

赫哲族是聚居在黑龙江、松花江、乌苏里江等三江流域一带、以捕鱼狩猎为生的民族。“拖日气”是赫哲语，意为狗拉雪橇。拖日气是他们过去长期使用的重要的交通运输工具，冬季狩猎尤不可少。

赫哲族很早就有养犬的习惯，因此历史上又有“使犬国”的称呼(《满洲民族源流考》)。过去，黑龙江下游及三江一带地多卑湿，人口稀少，往来交通十分不便。春夏秋三季使用独木舟及桦皮船。赫哲语称独木舟为“威虎”，称桦皮船为“乌末日沉”。冬季在雪地里或冰上则使用犬挽雪橇即“拖日气”。其构造为：在两个弓形的硬柞木或桦木上凿以铆榫，安以桩腿，上加木梁，梁上再加小横木，构成框架。可以在上面乘人或载物。前头拴以挽犬的套绳，即成一“拖日气”。挽“拖日气”的犬，根据所载的货物或所乘的人数多少而定，一般为三四只至七八只不等。“拖

日气”在雪地上行走迅捷如飞，平均日行一百余公里。需要其停止时，赶雪橇人用两根木棍交叉阻地，即可停歇。这两根木棍就是驾雪橇人的指挥棒。

犬是赫哲人生产和生活中不可缺少的得力助手，狩猎、运输都离不开它。赫哲人非常喜爱犬，又善于驯犬。几乎家家养犬。一般的人家养三四只以至十几只。挽“拖日气”的犬中，有一只是头犬，主人只要把命令传给头犬，头犬会带领它的伙伴立刻行动。

时至今日，“拖日气”早已被汽车、汽船所取代。然而在三江一带，每逢隆冬时节，人们工余之暇，套上一乘“拖日气”在冰面上做短途信息传递或驰骋游戏，也还是一件饶有情趣的事情。

赫哲族婚俗

尤金良

赫哲族的婚姻，过去都由父母包办。结婚前男女不见面。年龄十六至十八岁为婚龄。都是男大女小相差几岁。

先由男方托人说亲。女方选择对偶，不是以穷富为准，而是以是否是渔猎能手或莫日根(勇士、英雄)为准。求亲的方式是媒人和男方老人，带酒和酒壶，在酒壶脖上系红布条到女方家去。

先喝酒，后提婚，边喝边议婚事。如双方同意，再约定时间过小礼。过小礼或大礼都不准姑娘在家。定亲时，未婚男子两腿跪在酒桌底下，举杯向岳父和女方长辈亲属敬酒，直到女方老人让起来为止。有的岳父特意考验女婿能否孝敬老人，性格是温和还是急躁，还特意延长下跪的时间。过小礼是正式定婚，有啥要求都要说清楚。过大礼是兑现小礼定下的事宜。在条件成熟时，商定结婚日期和举行婚礼的方式。

结婚时，女方送亲，男方不接亲。在船上或车上搭上彩棚作为轿子。彩棚是用柳条子煨弯托起来的，再用红布和花布蒙上，扎上一些彩布条。棚前有门帘，还挂一朵大花。男方派娶亲婆和两个小姑娘去姑娘家。娶亲婆条件是儿女满堂，父母亲双全，和丈夫感情好、从不吵架的。新娘穿好婚服带上头花，穿上绣花鞋，盖上蒙头布，用床新棉被，由哥哥抱上船、车入轿。

下车或下船时，由娶亲婆引路，两个少女搀着到院内。窗前贴上天地牌，摆上供品，插上香。新郎身穿长袍，佩戴大红背带，胸前戴着大红花，走出大门，迎接新娘，一同来到天地牌下，双膝跪下叩头，拜堂成亲。然后新郎进屋站在门坎内等新娘进来。蒙头新娘由少女领路向屋里走。刚迈门坎时，新郎用秤杆子挑开新娘蒙头布。这时屋内的男女青年，手拿五谷杂粮，向新娘大把撒去，使新娘眼不敢睁、头不敢抬、脸被打得通红(传说打红就不会带来邪气)。新娘进屋先拜祖先,后拜老人,然后坐在炕里,脸朝里。男女老少都来贺喜。杀生鱼,摆酒宴,老年人喝酒,年青人连唱带跳,尽情欢乐。

吃饭的时间, 新娘要吃猪尾, 新郎要吃猪头。意思是说有头有尾,白头到老。一般父母不送亲。对娘家客要特殊招待,不要让他们挑出毛病来,更不能违犯礼规。不然娘家会掀桌子,闹得不亦乐乎,喜事未得喜办,让人家笑话。待客的人,多半由有经验、能说会道的人担当。

新婚之夜,大闹洞房,但不能超过一夜。后半夜不熄灯,要点长寿灯,为的能过一辈子太平日子。当嫂子的一夜不睡觉,观察新婚夫妇的一切举动。第二天早晨,新娘子起床,先出去用娘家陪送的斧子劈好柴禾,再挑水做饭。等公婆起床,婆母交代锅灶的情况,让新娘熟悉家务。

喜丧

爱新觉罗·墨汉　爱新觉罗·东升

过去, 我们那里为八十岁以上的老人办丧事,极为隆重,俗称“喜丧”。

我们兄弟的祖母舒氏,1945 年 12 月 24 日去世,时年八十四岁。父辈为了把丧事办得庄严隆重,购置了五百匹布匹,在老宅院内搭起一座布棚。棚顶全用青灰色布苫盖,上有屋脊,有沿脊，沿脊上安有用黄布扎成的黄龙。棚内有灵堂、灵帏。灵堂挂满白色和湖色的绸幛。绸幛上横书四个汉字“福寿全归”。左幛顺写“老成凋谢”，右幛顺写“音容宛在”。灵柩就安放在灵堂里。棺料选用上等的抱马子木。棺材高 1.7 米，宽 1 米，长 2.8 米，上涂朱红色油漆。木棺分上层“天”，下层“地”，棺内有金床。儿孙们在灵帏内轮班守灵。灵前设长寿灯，祭祀桌案上供着祭品。灵帏前，坐着十二人的鼓乐队；院门处，也坐着十二人的鼓乐队。来了吊丧者，鼓乐队分男女吹奏满族迎宾哀乐，家里人可据以得知来客是男宾还是女宾。吊丧者先到灵堂默哀，行三鞠躬礼，然后到宴席棚用餐。

院内东侧搭有宴席棚。棚南面摆着二十个铁谷子，里面装满红焖肉等。厨师分班作业，守灵人、帮忙人要在夜间十一点至一点时吃夜餐。每天，院外专有一人打发讨饭的乞丐。

灵柩停放四十九天之后才出灵。这些天里，灵前祭供的饽饽，常被人讨去。

出灵是在 1946 年 2 月 13 日。送灵的队伍浩浩荡荡。前头是旗锣伞扇，而后是扎的车马等各色冥器，随后是鼓乐队，再后是和尚、道士、喇嘛的行列；长子擎着白孝幡，儿孙四人引灵，请来一百二十八名杠夫抬灵柩；最后是一队全身孝衣、后拖忠孝带的亲人。

寒风刮起，漫天飞舞着纸钱。出灵队伍来到土地庙拉山(烧纸)，再出北门。这时，所有女子止

步返回。

我家的祖陵，在松花江南岸，鄂多里城北。下葬时，用大绳兜放安葬。众人埋土，烧上纸，供上祭品。

这种喜丧习俗，铺张浪费，现已彻底废除了。

摇篮与摇篮曲

傅英仁

满族在过去的年代，男女都骑马狩猎，和鄂伦春民族相似。生下孩子以后，没法携带，便用桦树皮编成摇篮，把孩子放在里边，用小绳捆好，挂在树上，免得被野牲口吃掉。以后定居，有了房子，这种使用摇篮的习惯仍然保留下来。

摇篮的样式越来越讲究。用薄椴树板制成两头翘起的船形摇篮，外刷红漆。还用金、银色画些图案式的花纹，并写上“长命百岁”、“九子十成”等吉祥语。和摇篮配套的，有摇篮弓子(支蒙脸布的支架)、摇篮钩环(挂摇篮用)。

有摇篮的人家不愿意把自己的摇篮借给别人家使用。但摇孩子次数多的摇篮，总是被别人注意，认为这种摇篮能“九子十成”，就想方设法借来使用。摇篮用的次数越多、年代越久就越可贵。有的摇篮父辈用、子辈用，到了孙辈还不愿意换新的。即或有新的，也要用旧摇篮先摇几天孩子。

孩子在襁褓期间，经常睡在摇篮里，年轻的母亲边摇动摇篮边唱着优美的摇篮曲。

摇篮曲可以反复唱，内容很多。有哄孩子安静的，有向孩子表示希望的，有对哭闹的孩子进行恐吓的，也有触景生情，信口由之，自编自唱的。

孩子在舒缓的摇篮曲中，安静下来，慢慢睡去。

满族习俗“食肉大宴”

王雁冰

满族有着悠久的历史文化。满族富贵人家逢祭祀或喜庆日，均设食肉之会。如祭祖日，据说要杀猪七口，无论识与不识，都可以前往就食。举行大宴之前不发请帖，届时只在院内搭一席棚高出周围房屋，在街上谁都可以看见。棚内地上铺满草席，席上再铺红毡，毡上摆有无数坐垫。大宴之日，客人到后先向主人半跪道喜，然后即可盘膝坐在垫子上，十人一围，或八九人一围。客人坐定后，厨师以一方十斤左右的煮熟猪肉，放在有二尺直径的大铜盘中献上。每一围客人中间，还有一个大铜碗，满盛肉汤，每个碗内有一大铜勺，每位客人面前又各有一个直径约八九寸的小铜盘备用。主人不备酱油一类的佐料，但客人有自带佐料或切肉刀子的。高粮白酒一大瓶，能喝者，先由一人倒入碗里，喝上一二口后，再传递给别人，轮流饮用。肉是自片自吃，吃得愈多主人愈是高兴，若有人连声呼喊添肉，主人还要再三致敬，称谢不已。肉都是用白水煮熟，不加盐酱，但很嫩美。善用刀者，片下的肉薄如纸，片大而又肥瘦兼有。更有趣的是吃猪皮，猪宰杀后，退毛洗净，将猪皮扒下，愿食者八人一伙，将猪皮抻开，下放炭火盆，手持火钩反复烤熟后，用刀割食，香脆可口。

在“食肉大宴”上，主人并不陪吃，而是巡回查看客人吃的多少。客人吃毕，剩肉不能带走，也不向主人道谢，更不准用手或手帕擦嘴，否则就是对神不敬。客走后，主人再吃，剩肉不许留到下顿，要全部祭天。在主屋院内左方，立有长丈许的“神杆”，把剩肉全部埋于“神杆”前，谓之“祭天”。

生鱼宴

爱新觉罗·墨汉　爱新觉罗·东升

清朝的时候，生活在依兰城里的满族人，常用生鱼宴宴请亲朋好友。据祖辈传说，祖先爱新觉罗·布库里雍顺，在长白山长大成人，告别了额娘，乘坐自己做的筏子，顺江漂流，来到斡多怜寨子定居。在他娶亲时，全寨子里的人吃的喜庆宴，就是生鱼宴。

依兰满族人吃生鱼的风俗，历史悠久，吃法多种多样。生鱼，春夏秋冬都可以吃。春夏秋三季，人们喜爱吃刚从牡丹江、松花江中捕捞上来的活生生的新鲜鲤鱼。新鲜活鲤鱼，肉松动，白嫩，味美。冬季里爱吃狗鱼。

我们祖父爱新觉罗·海全，冬季很爱吃生鱼。他吃的就是大一点的狗鱼。买到的鱼用凉水浸泡，让它慢慢解冻。然后，把鱼肉切成很细的丝，装盘摆好，再把烤好的鱼皮，一同上桌。桌上放几种调料，如香菜、黄瓜、花椒、蒜、辣椒等，鱼架可炖成汤。

现今依兰仍然盛行生鱼宴。

哈尔滨旧时正月纪事

王　和

我说的旧时，是指“九一八”以前。那时，我家住在道外。太古街和南头道街是办年货的集市，一进腊月十五，直到元宵节，这两条街都非常热闹。年前太古街卖神纸、肉食及各种年货，过了年，卖的就多是灯笼、花烛、玩物和赌具之类了。头道街则多为水果和穿着用品。

记得六七岁时，每到除夕，商户、住户们半夜都在大街口提灯笼放鞭炮，接福禄财神来家过年。许多小孩围着嬉笑耍闹，燃爆竹，看热闹。一些人二三结伙跑来，手举财神码子(木版雕印的坐像神纸)，送到接神者手中，大声喊："财神来了！"谁接一张，总要给张票子，那时一张票子小面额的一角哈大洋，相当于十个分币——大铜元。

那些送财神的，专门送大户，多数是送给烧纸多鞭炮响的买卖家。我想，那些人也不一定全是常年乞丐，很有些属于"业余客串"性质的，在年夜取个乐，捞点钱。

初五以前，市面上很平静，只有几个戏园子开锣。一到初六，店铺都半天营业，几乎所有大小店铺的门楣上都贴着崭新的大红金字对联，早晨开门时放一挂鞭或几个二踢脚。乞丐也从这天上市了，大大小小的店铺都备好了零铜子，来一个打发一个。我们小孩子喜欢跟着看的，是两个打牛哈拉巴的大小个子乞丐。大个子很神气，虽是冬天，不戴帽子，在头顶盘着一条辫子，披件半大黑棉袄，两只手拿着牛哈拉巴，上边拴着几个铜铃铛和红绿彩布。跟在后面的那位，身穿棉袄，戴狗皮大脸帽子，手里也拿着同样的牛哈拉巴，不同的是他肩上搭着一个破旧钱褡子，店铺给了钱，他接过来装进去。一到店铺门口，两扇哈拉巴就敲响。开始，他俩只是有节奏地敲打，一句不唱。有的店家很痛快，给几个铜元完事。但也有的掌柜的不痛快给钱，袖着手坐在柜

台里抽水烟，这时候两个乞丐就唱起来。领头的大个子先唱三五句，然后小个子接着唱，调子就是莲花落。听的人和看的人越聚越多，掌柜的也明白行情，一听那词要变不吉利的话了，就赶快拿票子把他们打发走了。天津小蘑菇(常连安)有段相声讲这事，惟妙惟肖。碰上有的掌柜拧劲不给，他们就打着骨点不走，看热闹的越来越多，各种各样讨钱的也都来了，不给不行，最后还得个个都给。

过年期间，还有一种讨钱的也很特殊。两个人，一个化妆成妇女，手里拎着装钱用的小布口袋，另一个背着一只纸糊的乌龟，乌龟头颈有弹簧，能伸能缩，引人发笑。他手里拎个破算盘，走到店铺门口，把算盘一举，哗啦啦晃几下，喊道："我媳妇跟你一年到头，王八算账来啦！"惹得人们阵阵哄笑，没有不给钱的。

元宵节夜里，各种秧歌队和耍狮子、龙灯、旱船的，一拨接一拨，到较大店铺门前，遇有放鞭接的，就停下耍一通。有一个人递个红帖子给店铺，帖子上写的是秧歌队的居处、人员和队名，以及"恭贺佳节"、"开市大吉"之类的吉祥话。他们并不马上要钱，等过了阴历二十才按帖收钱，赏多少不等。

除此之外，就是稀奇古怪的灯官了。他身穿清朝官服，由两个衙役似的人物抬着，手里拿把扇子，摇摇晃晃，很是威风。且前有锣手开道，后有人用大竹竿挑着大灯笼，大书二字："正堂"。

据讲,他的职责是管理所有秧歌队的各种事情,诸如打架斗殴之类,但这类事我没见到过。只是有一次见灯官巡行时,因一家店铺门前没挂灯,他停轿知会店家马上挂灯,并罚了这家店铺一包洋蜡。

穄子米饭和鲫瓜子汤

贺 震

穄子又名糜子,通称稷子。《吕氏春秋·本味》云:“饭之美者……阳山之穄。”古代多产于我国内蒙古和黑龙江等北方地区。《龙江纪略》也有齐齐哈尔土地素称瘠薄,周围几十里方圆多寒沙,惟适合穄生长的记载。

穄子向为齐齐哈尔日常主要食品,其加工方法比较繁复。在未脱粒前盛于锅中,加水煮,以谷壳张嘴为度,约需三十分钟。旧时农家无钟表,多以一炷香烧完为准。煮后捞出沥水,然后置热炕上焙干再行碾制。经过以上程序制作的穄子叫熟穄子。穄子煮熟后有一种特殊的米香味,南方人多不喜此味,故曰“臭糜子”。未经过上述程序的穄子叫生穄子,米味、口感都不如熟穄子。

穄子米的煮制也有别于一般米类。煮时水要宽,熟后用笊篱捞出,盛入瓦盆中,再将盆置于锅中蒸煮片刻，去掉水分。稗子米饭不粘结，松软可口，颇能增进食欲。米汤稍呈甜味，凉后饮用更佳。另外一种食法是制成炒米，便于携带。蒙古、达斡尔、鄂伦春等族人随处游牧、狩猎，可随时掏出咀嚼充饥。蒙古人用牛奶煮稗子米饭，更是别有风味。

稗子米饭的最佳佐餐品当属鲫鱼汤。齐齐哈尔傍依嫩江，周围多湖泡，盛产鱼类。《龙沙纪略》记载："五月鱼车塞路，二尺鲤仅值十余钱。"鲫鱼是鱼中佳品，当地的习惯烹调方法很简单：用水清煮，只加少许佐料。汤白如乳，味极鲜美，为稗米饭佐餐，久食不厌，故有"稗子米饭鲫鱼汤，一顿不吃想的慌"之谚。至于用煎腌鱼佐餐和酸奶子泡稗子米饭等食法，当地老年人至今津津乐道。可惜今日稗子种植者少，市场偶尔得见，大有绝产之虞了。

龙江蒙古族姓氏

马拉钦

蒙古族姓氏的出现有千年以上，先于国内一些民族。黑龙江省蒙古族有十多万人，分布在杜尔伯特蒙古族自治县、肇源县、泰来县、富裕县，或散居在其他各市、县。据《蒙古秘史》、《成吉思汗祭奠》、《郭尔罗斯后旗通志册》、《哲里木盟科尔钦右翼扎赉特旗人民户口姓氏表》和民国初期杜尔伯特旗、依克明安旗档案姓氏部分，及在民间考察，蒙古族姓氏十分复杂，有的来源于部族名、氏族名，有的来源于地名、人名或职业名，有的来源于吉祥词语等。清朝末期，实行“开禁放荒”政策后，汉人大量涌入。为了交往方便，很多人将自己的蒙古姓简化为汉姓，有的取其首音，如孛尔济古特氏姓包，倭亮霍特氏姓魏，倪罗特氏姓倪等等；有的取其中间音节，如扎赖日氏姓赖，斡罗纳日氏姓罗等等；有的取其尾音，如晃豁坛氏姓谭，查戈岱氏姓戴等等；有的取其意，如浩尼庆氏姓杨或阳，明安国氏姓千(钱)等等；有的同一个蒙古姓而写成几个汉姓，如乌鲁德氏姓武、谢、盛、刘；而同一个汉姓又分为几个蒙古姓，如姓白分为查戈岱、土伦古斯、查干如德、阿拉善、阿特戈德等五个姓氏。据统计，1945年前黑龙江省蒙古姓氏五十四个，而现在已发展到八十六个。

挖人参的规俗

马亚川

过去采挖人参有好多说道，一般的规俗是，几个人或十几个人一伙，由有经验的山里通担任把头、二把头。其余跟随人员，统称“边棍”。头一次放山的叫“初把”。

进山前一二天，由把头领采挖人参的人员先拜“老爷府”(把头庙)，没有庙就写个牌位，烧上香纸摆上供品，把头领着磕头，代表大伙许愿说：“山神爷老把头在上，我们要进山了，请给我们指指路，让我们开开眼，拿了大货，发了财，杀鸡宰猪再来还愿报答你！”然后大家在一块吃顿饭。吃喝完了，把头领着大伙背着小米，带着挖参的工具：鹿骨钎子、索拨拄棍(长短不能高出人体)、刀子、红布、红绒线、大钱，再加锅碗瓢勺等，就出发进山了。走时，把头打头，二把头、边棍、初把在后跟着。

进山后，选好场地，用树干、树皮搭个仓子(窝棚)。第一顿饭，先供山神老把头。饭做好后，由把头端着饭碗，朝四面八方举起，口中念道："山神爷老把头请吃饭。"之后，大家才能吃。

放山回来后，索拨棍不能乱扔，得立在仓子门前，还得按顺序摆，把头打头，接着二把头，然后是边棍、初把。衣服、帽子不准往高处挂，得挂在腰部以下的地方。

晚上要在仓子门口燃上火堆，烧柴要顺着放，取"顺当"之意。火堆点燃后，得一直燃着，不能熄灭。

放山时不准随便乱说话，压上趟子(压趟子就是放山的人按照一定距离排成一排往前走)后，要聚精会神找人参，谁发现了人参，就喊"开眼!"(这叫喊山)，别人接着问"几品叶?"发现者瞅准以后，便立即回答。然后大伙接着说："快当!快当!"如果是"片"或者"堆"，就按打头的一棵是几品叶来回答。开了眼之后，要砍"照头"。所谓"照头"就是由把头选一棵红松树，朝发现人参的方向，从树干上砍下一块长方形的树皮，在砍下树皮的白木上，用刀刻上杠：左边刻的杠，代表放山的人数，有几个人就刻几道杠；右边刻的杠，代表参的品位,几品叶的参就刻几道杠。随后,用系着大钱的红绒线套在参叶上,把参牢牢拴住,别让参孩子跑了,再用树棍支个小架子,把头这才开始动手挖参。这时,其他人得燃火堆压青草沤烟,熏蚊虫,好让把头更好地集中精力挖参。

挖参时,先破土,后用鹿骨钎子一根一根地扒拉参须,如碰到草根、树根用刀割断,免得弄坏了参须。把参须周围的土都抠干净后,便用青苔茅子将参抱出。然后,用青苔茅子桦树叶,掺上一些原土,把参包起来,打成参包子。在挖参处烧香挂红磕头叩拜后,大的由大把头背着,小的交给别人背着,走上归途。

贡 貂

谷鸿宾

貂,哺乳类肉食动物,形体似鼬(黄鼠狼),长约二尺五寸,毛色黄黑或带紫,口吻尖锐,有黑须,耳壳短而圆,四肢短,前肢更短于后肢,有钩爪,尾长多毛,多栖森林中或石砬子洞穴里,昼伏夜出,捕鸟、鼠、兔为食。

貂皮,是依兰(今黑龙江省依兰县)特产。皮业内行把貂皮分为“草鞯”(毛根灰白者)、“青鞯”、“紫鞯”三种。依兰的猎人则把貂皮分为“草白驴”、“七星毛”、“黄眼圈”、“紫貂” 等七八种，而以依兰东部山区七星河一带所产的“紫貂”最为贵重。清朝时紫貂被列为重要贡品，只许皇帝、皇子、王公和三品以上官员穿戴。依兰向有贡貂裘诸部,俗称“打狐狸部”。诸部每年从猎获的貂皮中选出紫黑色的，向北京进贡二千六百张,多余的可以通商贸易。

依兰产貂，历史悠久,《后汉书》、《魏书》、《唐书》均有记载。清《盛京通志》谓:“貂鼠,今三姓(依兰)、珲春、宁古塔各处山多有之,毛色或黄、或紫黑,皮甚轻暖,猎者皆于雪天寻其迹而捕之。”《扈从日录》谓:“貂鼠在深山松林中,其窟或土穴、或树孔。捕者先设网穴口,后以草刍烧烟熏之,貂畏烟出奔,即入网中。貂皮之利,居人藉以衣食，故金史称其地富庶云。”《柳边纪略》谓:“又有纵犬守穴口,伺其出而啮之者。紫黑色毛平而理密者为上,紫黑色而理密者次之,紫黑色而疏与毛平而黄者又次之,白斯为下。在清朝土贡,以貂皮为重。”

依兰捕貂者,一般在旧历八月进山,十二月份下山,多在下雪天,追踪捕捉。民国时期,捕貂的方法很多,或用“对”打,或下夹子、或用箭射、或用猎犬和网圈。解放后,用人工饲养貂鼠,亦颇有成效。

乌拉草

于凤阁

“关东城三宗宝:人参、貂皮、乌拉草。”乌拉草野生于黑龙江、松花江、嫩江及其广大支流、湖、泊、池、沼沿岸及森林草原地带的潮湿地域。其中以生长在“塔头墩子”上的质量为最佳。

乌拉草又名护腊草,或叫毛根草、红根草,系多年生宿根草本植物。在植物分类学中属莎草科苔草,有一二百种和变种。人参、貂皮虽珍贵,但稀有;而乌拉草却是普普通通,资源遍地,不花钱亦可得到。正是这种乌拉草,保护了世世代代穷苦群众的双脚在严寒冬季不被冻坏。

清末诗人、曾督办过吉林边务的吴大澂于光绪十二年(1886)奉命赴珲春查勘边界,在宁古塔抱江楼曾作诗赞乌拉草,诗云:

莫道行踪类转蓬,知寒知暖笑乡风。
踏冰天气家家便,献曝人情处处同。
参可延龄犹有病,葵能卫足总无功。
何如束草随身具,春在先生杖履中。

乌拉草株高约80至100厘米,每株有五至六枚叶,有宽叶和细叶两种,夏季叶片油绿色,刚割下来根部为红色。在旧历八月秋分前后收割。割下的乌拉草要马上进行晾晒,去掉杂质。用前,放在硬而不韧的地方,用木棒捶打,叫"捶乌拉草"。捶好的乌拉草柔软如棉。人们把乌拉草絮在"靰鞡"(用牛马皮缝制的鞋)里,穿上这种"靰鞡"在零下三十至四十摄氏度的雪地里干活也不冻脚。乌拉草以新的为好,穿过两天被踩实之后,保温性能就会减弱。用热水浸泡或放在热处烤干后,用手揉搓,保温性可以再生。乌拉草除能保温外,尚有吸湿的作用,光脚穿絮有乌拉草的靰鞋,能吸去脚上的汗气,并可自行擦掉脚上的污垢,使脚感到温暖舒适。

锡伯人的鳇鱼差

吴克尧

清朝,生活在黑龙江地区郭尔罗斯后旗(今肇源县)境内的锡伯族人奉令支鳇鱼差,每年选送鳇鱼运到京师,供皇帝正月祭祀用。支鳇鱼差不论贫富,由十七至六十岁的男人均摊;鳇鱼费不论财产多寡,按人口摊派。支鳇鱼差的锡伯人,由皇帝赐给"晾网地"以为生活费用,受清内务府直接管辖,享有"种地不纳粮,养儿不当兵"的待遇。

鳇鱼是松花江出产的一种名贵鱼类,重的可超千斤,长的可达丈余。它以肉嫩、味美、鱼子营养价值极高及产量稀少而倍受青睐。

捕捞鳇鱼十分不易。所用特制大网,是用十二股线编成的,也有的用十八股线编成。叠在一起,能有草垛大小。拖挂这样的大网须用特制的大船,船上有桅杆、布帆,后部有拱型棚子,累了可以在里面歇气,也可以在船上做饭。捕捞鳇鱼也有的使用对子船,即将两条渔船并列,中间隔上一段距离,用木柱和绳索把两条船固定成一体。

锡伯人捕捞鳇鱼,一次要去几十人。常常是兴师动众却扫兴而归,或只是捕捞到一条小鳇鱼。

鳇鱼脾性温顺,不惹它,一般不乱冲乱撞。捕到大鳇鱼时,为了防止它冲撞,不准乱拉鱼网,要慢慢地将它稳住,再选派水性好的人,从船上顺着鱼网悄悄潜到鳇鱼旁边,给它带上笼套,再把笼套绑到网绳上,这样,大鳇鱼就不容易冲破鱼网跑掉了。

为了不使捕到的鳇鱼死掉,锡伯人在松花江沿岸选建长约二公里、宽约百米的鳇鱼圈二处。江边有入水口,圈下端有出水口,设有挡栏,保持活水,放养鳇鱼。鳇鱼圈旁盖有房屋,派人轮流看守、照料。

待到入冬,将选好的鳇鱼慢慢冻死,抬到平板牛车上,按约定时间、地点,与松花江南岸锡伯屯、达户屯等出鳇鱼差的锡伯族人会合,一同送鳇鱼进京。

进贡鳇鱼的车子要插一面黄旗，沿途各地必须迎护，所遇车马要给鳇鱼车让道。鳇鱼必须在每年除夕之前送到，绝对不能误了皇帝正月初一祭祀用。

清末，锡伯族鳇鱼差才终止，留下了二处鳇鱼圈遗址，成为历史的见证。

依兰东珠

王希逵

依兰（今黑龙江省依兰县），清代称依兰哈拉，山青水秀，江河泡泽较多，盛产东珠。清朝官方组织有专门队伍，叫打牲乌拉，捕打人称牲丁，专司为皇家捕打贡品东珠。并设有总管衙门，法度极严，赏罚分明。每当捕打队到达捕珠地时，主管衙门都要派出官员稽查。定额以外多得头等东珠一颗抵五颗；二等抵四颗。多得东珠的牲丁赏毛青布二匹；缺少一颗或少得的，责罚牲丁十鞭。多得三十颗为一分，赏给总管、翼领彭缎各一匹，骁骑校丝绸一匹，领催毛青布四匹。定额以外多得千颗，总管、翼领准加一级，以下官职按分数分别得赏。

捕获的东珠，由巡查官及时装入封筒，贴上印花，严加看守，以免被人盗窃。

九月末江河将要结冰时，捕珠船只陆续返

回,吉林将军和打牲乌拉总管沿途分别验看,亲自查点精选,将五厘以上的东珠分色光盛匣封固,拟写奏章,缮写清单,派翼领等人呈进。

清末以后捕打东珠日趋衰落。现时依兰人捕蚌取肉,珍珠还时有可见。

空青石

谭彦翘　张　超

嫩江,古称诺尼江,其淤沙中产五色晶莹如玛瑙、如琥珀、如翡翠、如珊瑚的嫩江石。清方式济《龙沙纪略》谓:“五色石产黑龙江、诺尼两江。渔人得空青,不敢私匿,将军酬以值,遣官奏进。”西清《黑龙江外纪》和近人魏毓兰《龙城纪闻》中,也有类似记载,以是知嫩江石名声之著。

嫩江石中,以空青石最为罕见。空青石又名萤浆石,石内含有液体,视之若滴水,摇之则上下流动。其“赤如琥珀”、“隐有水色”的,又称“水胆玛瑙”。

往昔,有石癖者,漫步江边,以采石为乐。嫩江水碧沙明,俯拾即是。其色有红、黄、绀、绿、黑、白、紫;其形如拳、卵、圭、角、桃、笋、芝;奇彩缤纷,莫可名状。归而蓄之盆钵,为案头清供。

民国十五年(1926),某者拾得空青石一枚,色深绿,作山胡桃形,坚似金刚石。黑龙江督军吴俊升得知，见而喜之，制为帽饰，光彩照人。一石之微，本不足道，一旦为贵人所重，身价百倍。时有人作《山胡桃石歌》讽之，其中有云："吁嗟兹石虽微物，构造具见神工劳。一朝流出人世间，不遇知音亦鸿毛。矧踞峨冠称贵品，见者为尔庆所遭。金镶玉佩连城重，如珠在掌剑横腰。从此石谱夺一席，声可掷地光烛霄。"微言大义，岂独石然。

海东青

胡绍增

海东青，俗称秃虎，猎鹰也。旧闻此鹰仅产于黑龙江、乌苏里江流域，古亦稀之，肃慎氏以为贡物。

海东青栖于高山密林，毛青，嘴尖，爪利。尤奇者，双翅有肉球，坚如铁石。捕之甚难。或用网，以鸡为饵，诱鹰落网内；或用笼，笼留二门，门下设索，笼内藏鸡，鹰捕鸡，则套缚颈上。

海东青性烈，捕后鸣叫不已，舞爪伤人，拒不进食。数日后，性稍温弱。以皮条缚其腿，架于驯者臂上，渐以食诱之。

驯鹰时，系以长索，放鸡为饵，从近及远，缓缓引逗。久之，鹰见鸡即飞下而捕之。再久之，则可去索，于远处置一鸡，诱其捕食。驯熟后，置木笼中喂养,日喂三四次。旬日后,置鹰于架上,以待天鹅。

海东青乃天鹅之劲敌, 世人重鹰, 亦以此故。北之难水(嫩江古称),碧透清澈,鱼虾共游,蚌蛤肥美,蚌藏珍珠,天鹅捕食,珠存嗉囊,名捕天鹅,实为得美珠也。秋日,天鹅凌空,高且疾,只闻鸣声,难见踪影,目力不及也。然海东青则目锐而耳聪,见闻甚远。天鹅经空,立即奋起,驯者迅解索,放鹰出猎。

海东青平地拔空, 直冲云霄。霎时直逼鹅群,以利爪搏其双翅,瞬间可使天鹅坠地。一次可得三四只。然海东青亦长啸一声,昂扬飞去,永不复返。

鹤乡说鹤

崔喜林

黑龙江省齐齐哈尔市东南30公里处,有一个面积20万公顷的扎龙自然保护区。这里芦苇沼泽广袤辽远,湖泊星罗棋布,水草肥美,鱼虾丰盛,环境幽静,风光绮丽,是鹤类繁衍生息的好地方。全世界现有鹤类15种,中国有9种,扎龙原有丹顶鹤、白枕鹤、白头鹤、灰鹤、白鹤、蓑羽鹤6种,近年先后从国外引进七种,现已驯养成功达到了11种。因之齐齐哈尔市被誉为“鹤乡之城”，丹顶鹤被推选为该市的“市鸟”。它身材修长，体羽洁白，头顶红冠，黑色的二三级飞羽像裙子一样覆盖着尾部，黑、红、白三色泾渭分明，飘逸、秀雅，格外招人喜爱，难怪在过去如有捕获要贡献给皇上，成为龙江贡品之一。

爱鹤传感着中华民族特有的情调和体味，是我国有着悠久传统的文化现象。在我国的传统画中，往往将鹤与松画在一起。鹤本来是繁衍栖息于沼泽苇塘地带，与松无缘。但千百年来，人们之所以认可，十有八九是由于二者都隐喻“延年益寿”的缘故。这也是每逢年节，人们都喜欢购上一幅“松鹤延年”图的原因吧。

鹤素被目为仙禽。有高人隐士之风。宋代著名隐士林逋隐居杭州西湖的孤山，喜养鹤植梅，留下一段“梅妻鹤子”的佳话。曹雪芹的故友叹誉其像白云中的野鹤，“高鸣常向月，善舞不迎人”，此句与韩琦“孤标直好和松画，清唳偏宜带月闻”有异曲同工之妙，鹤与人，人与鹤已融为一体了。

据说，鹤择偶谨慎，对爱情忠贞。“双鹤俱遨游，相失东海傍。雄飞窜北朔，雌惊赴南湘。弃我交颈欢，离别各异方。不惜万里道，但恐天网张。”曹植的这首《失题》诗从鹤说起，写尽了人间爱侣的离情别绪。

有一点或许并未广为人知。鹤在日本、朝鲜、印度等国也深受珍爱。在日本东京国立博物馆里就陈列着一件18世纪的绣有一对丹顶鹤的床罩。

龙江珍禽——飞龙鸟

涂学良

“飞笼(龙)宴”名噪中外。宴中50多种佳肴，个个称绝，主料即为飞龙，今称榛鸡。西清所著《黑龙江外记》载：“岁贡鸟名飞笼者，斐耶楞古之转音也，形似雌雉，脚小有毛，肉味与雉同，汤尤鲜美。然较雉难得。多在深山密薮，故汉名树鸡。有呼沙鸡者，非也。沙鸡又一种。尔雅注：鵽鸠生北方沙漠地，大似鸽，形似雌雉。鼠脚，无后趾，歧尾。为鸟憨急群飞。本草释名：突厥雀，即尔雅鵽鸠。本草集解：突厥雀，生塞北，状如雀而身赤。诸书所言殆即飞笼(龙)也。”飞龙盛产于黑龙江北部大、小兴安岭地区，东部山地也略有分布。从清初即为黑龙江的贡品。民国初年寓居瑷珲的诗人边谨对鄂伦春人猎捕飞龙曾做过吟咏，其《鄂伦春竹枝词》中写道：“山南山北绿重重，家住凌霄第一峰。十五女儿能试马，绿阴深处打飞龙。”

飞龙体重三百至四百克，雌雄形似，体色为黑、白、棕，斑斓间杂，宛如一只小爆花鸡，但雄鸡颔下黑色，头顶羽冠，貌略美雌鸡一筹。

飞龙佳肴，清香一绝，或许与飞龙食物及栖息习惯有关。宴用飞龙多于冬季猎取，此时其主食为树芽,尤以桦树芽为多。其栖息以雪为巢,一鸟一窝,集群而栖。当冬季气温降到零下三十至四十摄氏度以下时,除觅食而外,几乎整天留在雪窝中。雪窝易隐蔽,有时近在三五步中尚不能发现。但只要一鸟惊起,群鸟便跟着飞上树枝,在树上呆头呆脑地张望,甚至同伴被击落也无察觉。

黑龙江驿站

刘邦厚

驿站是古代中央政权与地方政权之间传递谕旨、公文和军报的重要交通渠道，驿道亦称“御路”、“进贡路”。

清代黑龙江驿站始设于康熙二十四年(1685)，总称为吉林乌拉——瑷珲驿站，全长一千七百十一里，共二十五站，其中十九站归黑龙江将军管辖，六站归吉林将军管辖。

后来为了保证雅克萨战争兵源和物资的需要，又专修了一条从雅克萨城至墨尔根(嫩江)间的驿道，连接黑龙江已有驿站，总长达5000里。

康熙二十五年(1686),清军攻克雅克萨后,沿这条驿道仅用十一天的时间,就将捷报送至康熙手中。

按清代规定,每站设站丁额三十人,包括领催一名。黑龙江驿站的站丁来源多为“抄家户”,即云南吴三桂反清势力被平定后,其属下官兵“免死发遣,例不准应试服官”,由内务府发往黑龙江,充当站丁。此外,索伦、达斡尔等族的贫困者,也“令其驻驿”。大批戍边“犯人”中,也有一部分“交新编的屯内为丁”。

驿站站丁皆编入军籍,主要任务是饲养管理供送公文差役的驿马。站丁除当差应役外,由将军衙门就近拨给官田,由站丁和家属力耕自给。这种官田,也称“站丁地”。每个驿站定额设牛三十头、马二十匹。饲养牛马所需的“草豆银”及修理车辆的银两,由盛京户部分发。

黑龙江驿站的设立,也促进了本地区农业和商业的发展,许多驿站成为新兴的集镇所在地。如宁古塔、吉林乌拉、齐齐哈尔、墨尔根、伯都纳、瑷珲和依兰哈喇,是历史上著名的“边外七镇”,也是最早的驿站。

雅克萨在哪里

郑培厚

在黑龙江的历史上，曾经发生过的第一次对外战争，是1685年和1686年的“雅克萨战役”。最后是满清政府赢得了胜利。沙俄侵略者在遭到了可耻的失败之后，勉强同意和清政府于1689年(清康熙二十八年)签订了《尼布楚条约》。

关于雅克萨，《中国历史地理简论》谓“即今阿尔巴青”，《北徼纪游》谓“阿力巴金者即雅克萨的故城也”。其具体位置究竟在哪里?打开《黑龙江省地图册》(哈尔滨地图出版社1989年3月版)第87页，可见到漠河境内额木尔河入黑龙江处有额木尔小镇，其对岸苏联一方的“阿尔巴金诺”，便是当年的雅克萨所在地。

江东岂止六十四屯

刘邦厚

1858年签订的中俄《瑷珲条约》中规定：“黑

龙江左岸，由精奇里河以南，至豁尔莫勒津屯，原住之满洲人等，照旧准其各在所住屯中永远居住，仍着满洲国大臣官员管理，俄罗斯人等和好，不得侵犯。”

中国瑷珲一带居民把条约中定的归中国居民永远居住的黑龙江左岸的村屯，习惯称作“江东六十四屯”。它长期来只是一个地理概念，并不是表明在“江东六十四屯”这块土地上的实有村屯数目。实际是，江东中国人居住的村屯数是不断由少变多的，而非只有六十四屯。

清初，统治者为了保护“龙脉”，维护满族贵族的特权，对东北实行严格的封禁政策，不许内地汉族流民出关定居。中叶以后，由于关内人口剧增，灾荒不断，财政困难，于同治年间被迫开禁。开禁以前，老屯多半在沿江一带，屯名也多为满语或达斡尔语，如前、后腰呼尼哈屯、外布尔多屯、西普奇屯、旧瑷珲、玛尔屯、段其发屯、布拉满嘎屯、托力哈达屯等等。

开禁后，山东、河北等地的流民涌入江东六十四屯地区，大多在东南部先建几户人家的“窝棚”，而后发展成十几户人家或几十户人家的村屯，如：曹家窝棚、姚家窝棚、吴家窝棚、姜家窝棚、黄山屯等。文献上曾称这一地区作“二十八屯”、“三十余屯”、“四十八屯”等，而未见过六十四屯的记载。1900年以后，清代各级政府在陈述江东中国村屯被沙俄强占的呈文中，才出现“江东六十四屯”的称谓。到底哪一年这里正好是六十四个村屯,无从查考。

据俄方1881年实地调查,当时江东已经有六十三个中国村屯(俄国参谋总部:《亚洲地理、地形和统计材料汇集》,1888年出版, 第三十一卷)。又据资料统计,从1857年到1881年的24年间,村屯数增加了1倍,其发展速度与时间成正比。那么,从1881年到1900年19年期间,关内移民的速度和规模远远超过以往的24年,所建村屯数目当不止一个,至少应有十几个,是可想而知的。据查,有几种地图,在六十四个屯子外,又标有徐家窝棚屯、突勃屯、小桥子屯、疙瘩窝棚屯、黄旗屯、红旗屯、马拉屯、马下屯等,可以为证。

"桦叶四书"辨

王全兴

世传南宋洪皓使金被扣,居冷山,金将完颜希尹聘之为教师, 教授其八子。洪皓因其地无纸,遂将"四书"写在桦叶上,以为教材,史称"桦叶四书"。

桦叶为阔叶,与杨叶相类。如果桦叶可以写书,则杨叶、桑叶、槐叶、柞叶等阔叶就都可以代纸写书了。那么为什么就没有杨叶、桑叶、槐叶、柞叶"四书"呢?用毛笔可以在桦叶上写字毫无

疑问，但其叶毕竟很小，试想一枚桦叶能写几个字呢？一部四书得用多少桦叶才能写完呢？写完之后又用什么办法把它穿缀起来，使它不致散乱呢？并且桦叶干燥以后，松脆而不易保存，用它来写字教学生，怕不要等学生把书读熟，叶子早已被学生揉碎了。因此，我以为“桦叶四书”的说法并不可靠。

所谓“桦叶四书”，可能是“桦皮四书”之误。其因或是由于洪皓回到江南后重写《松漠纪闻》时的一字之差；或是南方人不了解北方情形，其子洪遵、洪迈等刻书时有意篡改，认为桦皮总不如桦叶更为雅致吧？不管出于哪种情况，桦叶不能写书，而桦皮可以写书，则是很明白的。北方所产白桦，性温润，春初树皮松软易剥，以刀割取，大小随意，且防水性能甚好，坚韧无比。北方不仅用它制作各种小容器，甚至还用来制造满语称做“威呼”的桦皮小舟。桦皮在北方曾广泛应用。也只有在这样的条件下，洪皓才有可能裁制相同规格的桦皮，用来写书写字。

由此还可以联想到，北方地区的第一部著作——洪皓所撰《松漠纪闻》的原稿，就应当是桦皮书。不过洪皓临回南宋时，怕因此而招惹不必要的麻烦，一把火烧掉了。现在流传的《松漠纪闻》，是洪皓回到江南以后，根据回忆重写的，其内容仅是原书的十之二三而已。

曹廷杰与阿城史迹

李建勋

金上京会宁府故城遗址(今黑龙江省阿城市区南四华里的白城子)，现已被列为全国重点文物保护单位，驰名中外。然而对这个遗址的认定,却经历了近四百年的探索过程。

本来,金代前期出使金国的宋人笔记(如许亢宗《宣和乙巳奉使行程录》、洪皓《松漠纪闻》),早已详细记下了由内地到达金上京的驿站、里程。但到明朝景泰年间编修地方总志《大明一统志》时,已经不能确指金上京的位置,误记为"金灭辽,设都于渤海上京"(今黑龙江省宁安县东京城的渤海上京遗址)。以后的许多学者都因袭《一统志》之误。一直到光绪中叶,才有后起的东北史地专家曹廷杰著文纠正错误，他以确凿的考证，确认了今之白城子就是金上京会宁府故城遗址。

曹廷杰(1850—1926)字彝卿,湖北枝江人。1874 年入北京国史馆任汉誊录,1883 年来吉林,在靖边军后路营中办理边务文案。他目睹沙俄对中国的侵略扩张,痛心祖国大好河山丧失,遂潜心研究东北边疆史地，于 1885 年、1887 年相继有《东北边防辑要》、《西伯利亚东偏纪要》、

《东三省舆地图说》等著作问世。他对黑龙江口永宁寺碑文的研究以及对黑龙江流域民族历史、地理的记述，更是东北史研究中的杰作。

曹廷杰亲自勘察金上京会宁府遗址时间大约在1883—1884年间，写成《金会宁府考(海古勒白城附)》一文(收入《东三省舆地图说》)。在这篇文章中，他将历史文献提供的地理方位、驿站里程与地面的金代旧址遗存加以对照，做出的判断和结论相当准确。他将亲自踏察白城子的详细记载写入文中，如将白城城垣形状、皇城范围、皇城内宫殿遗址所在等，首次向国人作了披露，后来的访察者东北史地专家金毓绂称道说：“其城(指遗址)之形势，具如曹氏所论。”

距曹氏勘察白城子二十八年之后，清宣统二年(1910)在白城西郊庙台子出土了“金上京宝胜寺宝严大师塔铭志”，更给白城子即金上京会宁府遗址的结论提供了不可动摇的证据。

“风刮卜奎”的传说

柳彦章

齐齐哈尔原名卜奎，一作卜魁，清代黑龙江将军驻此，民国时期黑龙江省省会亦设此，与沈阳、吉林合称东北三大历史名城。

我在齐齐哈尔念书时，曾不止一次地听到

过有关卜奎建城的传说——“风刮卜奎”。

据说，齐齐哈尔城最初计划建在嫩江西岸，已丈量了城的东、南、西、北四至，定好城门的方位。丈量之后，又用木桩和绳子作了标志。

一天夜里，狂风骤起，把作标志的木桩和绳子全刮到江东岸，即今齐齐哈尔地址。木桩的距离，绳子的标志，城门的方位，都原样没变。当局只好改变原来的计划，改在江东岸筑城，这就是现在的齐齐哈尔城。这个城址原为吉林乌喇(今吉林市)通往瑷珲道上的驿站卜奎站。虽然这是一个传说，但关于齐齐哈尔“筑城易地”之说，却令人信而不疑。因为除了传说之外，也有史籍可查。嘉庆十五年(1810)成书的《黑龙江外记》中记载：“齐齐哈尔，屯名，在今城西南十余里，城所在号卜奎。相传始筑城议在齐齐哈尔，既以中隔嫩江不便，改今地。故齐齐哈尔虽以名城，而卜奎实通称。”它说出“筑城易地”的原因和齐齐哈尔又名卜奎的缘由。“筑城易地”，很久以来，就为方志家们所认定并沿用，前不久出版的一些地方史志也如此记载。不过最近有新的史料发现，证实筑齐齐哈尔城一开始定的就是卜奎站原址。康熙三十年(1691)七月，兵部咨文称“传旨于总管等，一同详察地方，于嫩江东岸卜奎驿站地方丈量筑城处所”。

齐齐哈尔城建于清康熙三十年，开始为木城。嘉庆十一年(1806)城被大火焚毁，光绪十三年(1887)改建为砖城，即内城。内城之外加筑郭，

为外城,周长十里,是土城。齐齐哈尔建城迄今已有二百年的历史。

“风刮卜奎”的传说,形象地说明齐齐哈尔风沙很大。全年五级以上大风日数约为75天,三四月间,常常刮起六七级大风,刮得沙土弥漫,呼啸连天。齐市风沙之大,前人不乏记载。清道光九年(1829)英和所著的《卜奎纪略》里说:“地多风,屋宇借草,压以大木,然往往尚为掀拔。”

齐齐哈尔地势平缓,嫩江两岸多沙土。由于流水冲积,风力侵袭,渐渐形成条条沙洲和沙丘,起伏不定,矫若游龙,蔚为壮观,所以齐齐哈尔又有龙沙之称。

黑龙江恐龙的发现

魏正一

嘉荫县太平林场附近的黑龙江岸边,是我国最早发现恐龙遗骸并作过报导的地方。

1902年俄国军官马纳金上校,听说中国渔民在黑龙江南岸经常发现一些坚如岩石的大骨头,引起了他的兴趣,认为可能有重大发现,决定专程到江边走一趟。当时中国边境看管不严,俄国人越过黑龙江很方便。他在渔民指引下,找到了化石产地,把所看到的情况作了记录,并把拾到的几块化石，包括个别脊椎骨和残断的肋骨，带回伯力博物馆。马纳金以为可能是古象的遗骸，兴之所至，写了一篇文章，在当地的《阿穆尔沿岸地区公报》上发表。他写道："骨头埋在河岸的厚厚的土层下面，固定在3俄丈(1俄丈等于2.134米)厚的砂石层中，由蓝色砾岩组成的古河道岸边，高于正常水位约2俄丈的地方。经过匆促的研究，至少可以判断出，骨骼是左侧身躺着，前肢朝着江的方向，占据长度为5俄丈。骨骼化石的周围，根据土壤的特有铁色，仿佛可以看出它原来肉体的轮廓。涨大水时，骨头就从岸的斜面被冲刷出来，落到岸边。"

这篇小文章引起了俄国地质委员会地质副研究员克里希托佛维奇的重视，将它转载到《俄国地质和矿物年鉴》第五卷。此时，中国地质古生物学家们尚未发现祖国领土上有恐龙化石，而俄国人已开始酝酿到中国来进行发掘了。其后，1915—1917年间，俄国人进行了两次发掘，挖走了大批恐龙骨化石，运回彼得堡。经研究这些化石大多是属于鸭嘴龙新种的，最后组装成了一具大型恐龙骨架，陈列在原列宁格勒地质博物馆里。研究者里亚宾宁两次发表长篇报告，各报刊争相报道，轰动一时。

1965年，中国科学院古脊椎动物与古人类研究所所长、我国著名古生物专家杨钟健教授来黑龙江省博物馆鉴定化石，告诉我们，他曾到苏联列宁格勒地质博物馆参观，看到一具鸭嘴

龙骨架，定名为“阿穆尔满洲龙”，这具标本是俄国人从黑龙江边中国一侧挖走的，是我国领土上出土的第一具恐龙。他还谈到，他在参观时曾要求登梯子上去看一看这具恐龙头骨的后脑壳——头部的真骨部分，却被主人婉言谢绝了，只答应赠送它的模型。因为这头骨部分是满洲龙定名的主要依据之一，科学上叫正型标本。

解放后黑龙江地质队与黑龙江省博物馆组织了对嘉荫恐龙化石产地的大规模发掘，获得大批化石，组装复原了三具大型恐龙，其中最大的一具高 6.48 米，长 11.24 米，真骨化石达百分之八十，远远超过了俄国人在这里挖走的那一具。

梁思永考古昂昂溪

魏正一

我国著名的考古学家梁思永，是梁启超的次子，祖籍广东新会，解放后曾任中国科学院考古研究所副所长。

梁思永在美国哈佛大学研究院攻读考古学和人类学，1930 年获硕士学位后回国，到北平中央研究院历史语言研究所考古组工作，时年二十六岁。这时正逢哈尔滨俄侨鲁卡什金发现昂昂溪史前遗址不久，鲁卡什金采集到许多标本而难以深入，遂请在北平工作的法国神甫德日进写信给丁文江，表示愿在相当报酬之下充当向导，请中央研究院派人前往发掘。梁思永获悉后，很是兴奋，毅然冒着日寇可能发动侵华战火的危险，要求到昂昂溪去调查发掘。

1930年9月19日，梁思永从北平(北京)出发，26日到滨江(哈尔滨)，与鲁卡什金谈妥条件(中央研究院给鲁卡什金可观的报酬，但新挖的和鲁卡什金前已采获的标本全部归中央研究院所有)，立即从滨江出发。同行的有助手王文林、鲁卡什金及一位翻译。28日早7点半到达昂昂溪，9点15分就由鲁卡什金领路，来到铁路路碑659公里处，走下路堤，趟着冰冷的嫩江水南行，又走了半公里，开始了对几个沙岗的踏查。第二天他通知地方当局组织劳力。第三天起正式发掘，发掘共进行了两天，然后又到镇东镇南的沙岗巡察了一天。

发掘选在第三沙岗进行。梁思永全面视察沙岗后，布了八个坑。在发掘过程中，他非常详细地记录了地层、出土文物的平面分布及器物埋藏的层位，并画了一些文物分布素描图，几张周围草原环境的素描，又拍摄了多幅黑白照片。

发掘中还发现了一座墓葬，内有基本完整的中年男子骨架一具及一批殉葬器物。

这次发掘总共获标本三百件，加上从鲁卡什金处收购的七百件，共计一千件。经过研究，写出了长达四万九千字的论文《昂昂溪史前遗址》，附图版9幅，于1932年10月发表在前国立中央研究院出版的《历史语言研究所集刊》上。从此，昂昂溪遗址作为我国细石器文化的重要产地，驰名中外。

齐齐哈尔藏的一枚“洪化通宝”

李　龙

齐齐哈尔郑某，家藏古币数枚，其中有一枚铜钱外圆内方，外径25毫米，方孔边长6毫米，面文为“洪化通宝”四字。

“洪化通宝”是吴三桂之孙吴世璠所铸。清康熙十二年(1673)，吴三桂在云南以复明为号叛清，自封“天下都招讨兵马大元帅”。耿精忠、尚之信相继响应，史称“三藩之乱”。其声势波及云、贵、川、陕、湘、闽、浙、两广等十个省。康熙十七年(1678)吴三桂在衡州(今湖南衡阳)称帝，国号周，改元昭武。吴三桂称帝不久病死，其孙吴世璠在贵阳继位，改元洪化，“洪化通宝”当铸于此时。康熙二十年(1681)，叛乱被削平，吴世璠自杀身亡，属下均获罪发遣。

洪化铸币大多青铜，少有赤铜。分为大小钱，面文通字分两类。大钱背面有户字、工字、光背三种，户、工二字又各有二种区分。郑氏藏的这枚钱是青铜大钱，通字属点类，光背。

洪化钱铸于云贵，地处中国西南，为地方叛乱政权所使用，怎么会在万里之遥的齐齐哈尔出现呢？据《黑龙江外记》载：“传闻(黑龙江)站丁始于康熙，系藩逆吴三桂属下免死发遣。”这就是说，郑氏的这枚“洪化通宝”，可能是被康熙皇帝发遣到黑龙江充当驿站站丁的原吴三桂属下携带而来。

丁零宝印

金　铸

黑龙江省龙江县文物管理所近年在永发乡新兴村焦家街屯农民手中，征集到一方古铜印。此印是这位农民在村外西南岗铲地时发现的。

印面呈正方形，边长2.25厘米、厚0.7厘米，高2厘米，通高2.7厘米，重44.2克。钮作马形，腰下有穿，穿径0.6厘米，表面呈暗绿色(俗称绿漆古)。白文篆书“魏丁零率善佰长”七字。无边刻、年款。

丁零是我国北方少数民族之一，在政治、军事、经济以及文化上与中原地区有着密切联系。丁零源于商周时期的鬼方。初号为“狄历”，《史记·匈奴列传》作“丁灵”，《汉书·苏武传》作“丁零”，《魏略·西戎传》作“丁令”。汉魏丁零人主要分布在今南西伯利亚，东起贝加尔湖西至巴尔

喀什湖一带。东汉时部分丁零人南迁。两晋南北朝时今山西、河北境内有定州丁零、中山丁零、北地丁零等,并渐与其他民族融合。留在汉北的大部丁零,《晋书》称“敕勒”,《隋书》称“铁勒”。

考查丁零的活动范围,龙江县发现的这方官印,可以肯定是流入的。观其质地,黄中泛红,红中透黄,应为黄铜、紫铜之混合物。辨其文字,符合同类宝印的章法,而且笔法技巧各符其宜。考其时代,当属曹魏王朝时物,距今将及一千八百年。就我国古代北方少数民族官印而言,以匈奴、乌丸、乌桓、鲜卑、夫余、高勾丽、羌、氐、蛮胡等为常见。惟丁零宝印实属空前。此印在龙江发现,弥足珍贵。但发现不久即告遗失,至为可惜。

李绮青与“忆槎亭”

杨勇琴

清宣统二年(1910)九月,宁安府知府李绮青曾在衙署客厅东院建一方亭,题曰“忆槎亭”。夏秋之际,绕亭四周,杂植花药。绮青公退之余,每于此宴请宾朋幕僚,品茗酌酒,谈古论今,并写了一篇《忆槎亭记述》,内云:“康熙间编修吴汉槎兆骞,谪宁古塔,为文人到此之始,距今二百余年矣。西风怀人,因斯作亭,匪惟自伤,离索盛衰之感,尤不能置云。庚戌九月识。”

吴汉槎(1631—1684)原名兆骞，吴江人，清初著名诗人，与陈其年、彭师度被人誉为“江左三凤凰”。以顺治十四年(1657)南闱科场案牵累，于十六年被遣戍宁古塔。在戍所二十三年被友人赎归。有《秋笳集》、《归来草堂尺牍》等。《宁安县志》编者谓：“吴氏为清初才子，谪居宁城，阅年最久，而于此邦之文明开化，实比之唐之柳柳州、刘播州(禹锡)。”

李绮青(约 1859—？)，字汉珍，一字汉父，号倦斋老人。光绪十六年(1890)进士。宣统元年(1909)来黑龙江，任绥芬府(后改宁安府)知府。任职之际，有感于吴汉槎对当地文化开发上的贡献，因建忆槎亭，并写了上记《记述》。《记述》虽然在史实上有些错误，如吴兆骞原为举人，并未任过编修；也并非为文人谪宁古塔之始，但对吴氏的追慕之情，却溢于言表。

李绮青在建忆槎亭作《记述》的同时，还曾填了一阕《忆旧游》词。

惜忆槎亭民国年间已毁。

虎头镇的“赵公德政”碑

刘翰章

虎头镇，位于乌苏里江左岸。1938 年以前是虎林县城。早在 1921 年，该镇关帝庙后悬崖上，曾立有一座“赵公德政”碑(现藏省博物馆),碑文记载了当年虎林县人民对俄贸易中的一段佳话。

乌苏里江原为我国内河。1860年,不平等的中俄《北京条约》签订之后,乌苏里江以东四十万平方公里的土地被迫划给俄国，原为中国内江的乌苏里江成为中俄界江，但中俄两国人民仍继续互相贸易往来。

我方沿江商民,每过江去俄国乡镇贸易,必须持有虎林县公署发的短期执照(老百姓叫它过江小票)。商民过江至俄后,须经俄国税卡查验执照,收手续费并盖章后,才准许于俄境内通行。虎头镇对岸俄方驿马河(后称伊曼,现称达里涅列钦斯克市),就居住了我华侨商民五十二户,在那里有商店、饭店、澡堂,再加上俄国人经营的商行,是个繁华的县城,我国商民来来往往,进行通商贸易。沿乌苏里江属虎林管辖的九百多里长的界江,到处都有去俄国贸易的商民,每天不下数十人。但短期执照的有效期只有五天,到期事情办不完还得返回虎林县公署换照。县城商民倒好说，而距城较远的四乡商民往返就十分麻烦了。去俄的人很多,俄方却只限在三处集中点验照收费盖章,办手续等的时间也长。加上俄方税卡验照手续费一再加码，开始验一次仅收俄币一二角钱，大家还拿得起，后来越收越多,到民国九年(1920)一次验照费竟增加到俄币二元,涨了十倍,商民有些负担不起,便怨声载

道，敢怒而不敢言。

民国九年10月新任虎林县知事赵光印接任视事后，听到商民的议论，就派员对商民赴俄短期执照问题进行调查。根据调查的事实，赵光印亲自过江去驿马河苏俄行政公署与之当面交涉，提出降低俄方验照费用和延长短期执照的使用日期。经过多次交涉，并得到中华民国驻海参崴总领事署（总领事邵恒濬）、驻伯力领事署（领事权世恩）的大力协助，终于在民国十年（1921）1月14日经苏俄海参崴临时政府议决，准许驿马河俄行政公署呈文所请，将俄方税卡的验照手续费由俄币二元降至四角，执照的使用期由五天增至七个星期，并在越界一百华里以内免税通行，于1921年4月实行。

我方广大商民听到这一协定后，无不拍手称快，对县知事赵光印感激不尽。1921年9月由虎林县全体农商、驿马河华侨商会发起，为县知事赵光印在虎林县城关帝庙后悬崖上的公共花园内，面江立了一座刻有“赵公德政”的大石碑，背后铭刻赵光印为民谋福的政绩。民国十五年（1926）11月赵光印离任时，商民还给他送了“万民伞”。

张学良将军的《哈尔滨文庙碑记》

高慧敏

1929年11月，当时任东三省保安司令的张学良将军为刚刚落成的哈尔滨文庙撰写了《碑记》。文曰：

“哈尔滨据松花江上游，东省铁路横贯其间，欧亚商旅麇集而鹑居，列肆连廛，言庞俗杂。自政权收回后，百务聿新，当事者以学校勃兴，不可废崇祀先圣之典。于是鸠工兴事，凡历时将三载，庙成。余惟君子之敷教也，必端其本，夫亦植于仁孝而已矣。孔子之教以孝弟为仁之本，其所恒言，则曰吾志在《春秋》，行在《孝经》，盖以《孝经》教天下之顺，即以《春秋》遏天下之逆。而其三世之说，尤以世界大同之治为极归，使人人以仁孝宅心，则蒸之为善俗，即恢之为郅治，亲亲长长，而天下可平。孝之极诣，所由通神明而光四海也。晚近学子，年少气盛，其持论惟新是鹜，而抑知民德即离，势为家邦陵替。本实先拨，而求其枝叶之无伤，胡可得也。今欧美诸邦，类皆厌兵戎而趋文化，其究哲学者，且旁搜中国经籍，以尼山之学为能止至善，而共深其企向，盖

世界大同之机兆,而孔子教之气昌矣。中国为至圣祖国,哈埠又为华夷错处之区,使无杰构,以虔奉明禋,其何以动学于钦崇,而回易友帮之视听。夫古之人抚车服礼器,犹不胜慨慕流连。而况趋跄将事,摄以威仪,其有不感观兴起者乎?记有之曰:'祭者教之本。'此文庙之建所为不可缓也。庙基在南岗文庙街东南计地九十亩,经始于十五年十月,则大成殿暨配殿两原皆蒇事。其用款,由官商合筹为之七十三万有奇。董其役者前行政长官张焕相及今长官张景惠也。

中华民国十有八年岁次已巳十一月庚戌朔十日己未张学良记。"

石碑坐落在哈尔滨文庙中院，大成殿的东侧前方。碑通高5.51米。碑额为"四蛟盘石",镌刻着"文庙碑记"四个篆字。碑身阴阳两面雕刻着二十四条纹龙，碑座是巨形汉白玉石雕成的赑屃,座下刻有水盘,水盘四角漩涡中刻有鱼、鳖、虾、蟹四种动物。碑文由杭州钱拯(抗日时期延安"十老"之一)书写,台阁体阴刻,北平陈云亭刻石。

这篇五百字的碑文,以凝炼、精辟的文字论述了哈尔滨文庙的地理环境,建庙的历史背景,建庙的宗旨和作用，建庙的始末及其他有关事宜。

在建庙的三年间(1926—1929),虽然政权已从沙俄残余势力(哈俄公议会)收回,成立了哈尔滨市自治临时委员会，但当时的哈尔滨仍处于半殖民地状态。在这种特殊的历史、文化背景之下，张学良支持修起文庙，主张尊孔祀孔，对于抵御文化侵略，振奋民族精神，推动祖国自强，是有其积极意义的。

哈尔滨文庙没有正门

高慧敏

哈尔滨文庙是一座极有华夏特点的建筑群，属于典型的清代建筑风格。原占地六万平方米(合九十亩)，始建于民国十五年(1926)，落成于民国十八年(1929)。共用银币七十三万有奇，来自中外人士和政府的捐助。

哈尔滨文庙在东三省规模最大。整座文庙以大成殿为中心，南北形成一条中轴线。从南端的影壁墙向北，经泮池、泮桥(俗称状元桥)、棂星门、大成门，到大成殿形成高潮，最后收尾于崇圣祠。东西两庑、掖门、石碑则均衡地列于轴线两侧。文庙的三进院落在中轴线的贯穿下，层层递进，有起点，有结尾，抑扬顿挫，一气贯通。

文庙的主体建筑全部用黄琉璃瓦，被称为“皇顶”，屋顶款式用了最高等级的“庑殿顶”与“重檐庑殿顶”。彩绘为图案复杂、用金量很大的“金龙合玺”与“旋子”彩画。主殿的规格与皇宫的太和殿一样，同为十一开间。这一切是两侧配殿所用的灰陶瓦、绿琉璃瓦、歇山顶、卷棚式及苏式民间彩绘所无法攀比的。

但是，这座东三省最大的祭孔圣殿却没有正门。据说，长期以来民间有一条约定俗成的规矩，必须有当地人考中状元前来祭祀孔夫子时，才能推倒文庙南面的影壁，修建正门。黑龙江在1905年以前科举制时代，始终无人考中状元；而哈尔滨文庙又落成在科举制度早已废除的1929年。因此，从它诞生那天起，就已经注定只能开侧门了。

哈尔滨极乐寺

朗　明　口述　刘沛霖　整理

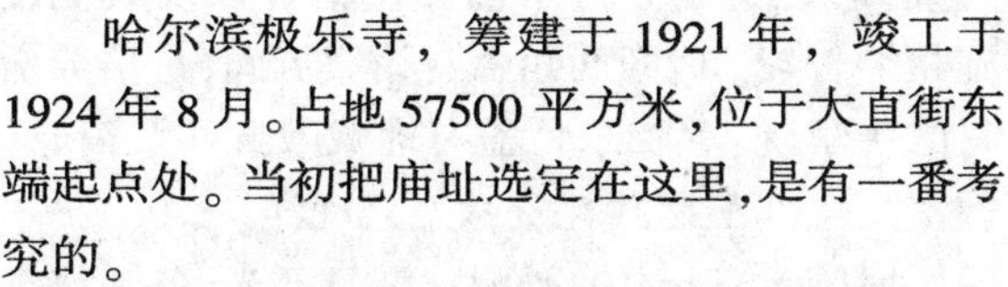

哈尔滨极乐寺，筹建于1921年，竣工于1924年8月。占地57500平方米，位于大直街东端起点处。当初把庙址选定在这里，是有一番考究的。

哈尔滨濒临松花江南岸。随着中东铁路的修筑，俄国人大批涌来。他们先后在南岗岗脊的大直街上修建三座东正教堂，恰好形成三点一线的布局。传说南岗是潜伏在松花江岸的一条巨龙，是哈尔滨的风脉所在，东正教堂的建立，是外国人对这条巨龙的斩腰镇首，败坏了哈尔滨的风水。于是，有人出面谋求对策——兴建佛教寺庙。1921 年有社会名流陈飞青者出面主议此事。陈当时任中东铁路局稽察局长,是一位笃信佛教的居士。他自告奋勇,亲去北京找当时执政的北洋军阀首脑段祺瑞的秘书马冀平商量,得到允准后,开始筹备,并于 1922 年正月初二请来名僧倓虚和尚主持建庙事宜。因第一坛开讲的是阿弥陀经,又因倡议发起人陈飞青居士信奉净土,遂提议定庙名为极乐寺。

考虑到社会地位与声望,拟推举中东铁路护路军总司令兼东省特别区行政长官朱子桥(朱庆澜)出面牵头。朱的秘书周孝怀与发起人陈飞青是知己,也信佛。经他在朱面前委婉劝说,得到应允,在筹建委员会的基础上又成立了以朱为首的哈尔滨佛教会。

1923 年夏秋之交,极乐寺破土动工,到封冻时已建成三层正殿及两边配殿各七间。转年 4 月继续兴工,至 8 月末,各殿、僧舍以及其他设施相继告竣。后殿西角盖有馆寮五间,是培养僧材的佛学院;后院东角盖有地藏殿五间及斋堂、教室。全部工程共耗资六万元现洋。

民国十三年(1924)9 月 28 日开光,各地居士香客,纷纷云集寺内,进行佛事斋仪活动。佛教信徒深为这座雄伟寺庙的建成而自豪;哈尔滨人民则为在南岗这条土“龙”上矗立起庙宇,抱住了“龙”头,压住了“龙”尾,保住了“风水”而舒心惬意!

哈尔滨的旧街名

李述笑

哈尔滨的街名沿革，宛如一份履历表，记录着它历史上的辛酸、屈辱和欢乐。

在帝俄统治及其残余势力盘踞时期，街牌全用俄文书写，许多街名带有明显的殖民地色彩，有的街名本身就是帝俄侵华的见证。如道里区的地段街就是因为在中东铁路修筑初期，以希尔科夫王爵为段长的第九工段的办事处曾设在这里而得名，当时人们称其为“乌查斯”街。1915 年 5 月，希尔科夫调任俄国黑海铁路公司总办，离哈前夕，俄人市董办会授予他“哈尔滨荣誉公民”称号，并将地段街改称希尔科夫王爵街，俗称“王爷街”。友谊路过去称警察街，是由于 1899 年俄国人在这里设立了第一个俄国警察局而得名。中央大街 20 年代前叫中国大街，那是因为筑路初期，铁路工程局在江沿一带迁移来了散居于秦家岗等村落的中国人。当年被称为哥萨克街的高谊街和被称为炮队街的通江街更是经历了血与火的洗礼。因为那时义和团和爱国清军围攻哈尔滨时，刽子手萨哈罗夫的“救援哈尔滨兵团”沿松花江来哈登陆后，曾在此处驻扎哥萨克骑兵和炮队。道里西头道街由

于本世纪初与阴森森的俄国监狱相对，自然地得名监狱街。红旗街早年被命名为药铺街，是因为俄国人在此办起了哈尔滨的第一个西药房。还有，莫斯科兵营头道街(现新民街)、银行街、邮政街、军官街(现霁虹街)、面包街(现红专街)、医院街(现颐园街)、商务街(现上游街)等很多街名都形象地反映了这些街道最初形成的面貌，打有时代的烙印。

当时哈尔滨的街名，有不少是以国名命名的，它们是各国侨民初来哈时的落脚点和居住比较集中的地区，如日本街(现道里西六道街)、高丽街(现道里西八道街)、比利时街(现比乐街)、罗马尼亚街(现芦家街)等；有的是以外国地名命名的，如华沙街(现安平街)、阿尔巴津街(现安发街)、尼古拉耶夫斯克街(现健民街)等；还有一些街道是以外国人名命名的，如以原俄国阿穆尔总督、十月革命后逃亡在哈任中东铁路管理局地亩处处长关达基之名命名的关达基街(现河图街)，以中东铁路管理局局长、十月革命后自立为“全俄临时摄政”的白匪头子霍尔瓦特中将之名命名的霍尔瓦特大街(现中山路)，以及罗蒙诺索夫街(现河渠街)、马克西莫夫街(现宣化街)等。

十月革命后，盘踞在哈的帝俄残余分子已成丧家之犬。20年代初，我国地方当局陆续收回了各种利权，1926年，哈尔滨市政权也最终得以收回。“邦邑固我之邦邑，何为他国人名而名焉”的呼声遂得申张。自1925年至1927年哈尔滨先后更改了部分街名，换上了中文街牌。

哈尔滨的东正教堂

杜　确

位于哈尔滨市香坊区的东正教圣尼古拉教堂是中东铁路工程局于1898年兴建的哈尔滨第一座教堂，后来俄侨不断增加，分布在哈市各区，东正教堂也相应地增建起来。到1932年，哈尔滨共建成俄国东正教堂十九座：道里(现道里区)八座，南岗(现南岗区)五座，马家沟(现南岗区)四座，香坊(现香坊区)一座，江北船坞(现松浦区)一座。其中四座早在30年代就被列为哈尔滨名胜史迹。

1900年建成的尼古拉大教堂，坐落在车站街(今红军街)与大直街交叉处。教堂是模仿古代希腊教堂的建筑式样建成，结构别致，雕工精细，富丽堂皇，设计者为俄国彼得堡建筑专家鲍德列夫斯基。当时俄人称它为中央教堂，是当时的东清铁路(中东铁路)员工捐款修建的。

位于道里霁虹街的圣伊维尔教堂，建于1907年，是一座随军教堂，由建筑师德尼索夫设计。平面为希腊十字式，正面与两侧有三个不同的入口。正对主要入口为圣坛。主入口的上层是钟楼，伸出屋面之后有一个方台。经过两层花瓣

形的装饰过渡到高高的鼓座，鼓座之上耸立一个“洋葱头”式穹顶。另外，在正殿的屋面上，同样耸立着一大四小五个“洋葱头”式屋顶。远远望去，那升腾飘逸的穹顶，如同一丛含苞待放的蓓蕾，极大地丰富了城市的天际线。

另一座至今还耸立在道里兆麟街和透笼街拐角处的“洋葱头”式圣索非亚教堂，由白俄捐款，1923 年动工，1932 年建成。

最后是坐落在南岗东大直街的乌克兰教堂，1930 年建成。它是为祭奠修建中东铁路时作出贡献并牺牲的员工们而建的，教堂有附属墓地——俄国希腊教公墓(1902 年设)。这座教堂占地面积为九千五百平方米。党的十一届三中全会后，落实宗教政策，决定在哈尔滨开放的全国第一处东正教堂，就是这所教堂。它也是哈尔滨中华东正教会所在地。

东正教的冰上洗礼祭

杜　确

东正教的传统宗教仪式之一冰上洗礼祭，从 20 年代初到 40 年代初，在每年俄历 1 月 6 日(公历 1 月 19 日左右)举行一次。祭日，在哈之东正教堂，清晨即开始撞钟，9 时各教堂举行祭典仪式。10 时左右，手捧“圣旗”、“圣像”的信徒们出现于街头，聚会于松花江畔之布拉文心教堂前。这些俄人信徒组成近万人的行列向封冻的江上祭典式场走去。信徒的怀里不约而同地都揣着一瓶酒(威士忌或伏特加)。祭典式场在江面靠南岸处，冰上竖有三四米高的冰雕大十字架，十字架后面是个直径 10 米、深 1.34 米的洗礼池(池水是从冰层下喷出来的，被称为圣水)。仪式开始是祷告和唱赞美歌，然后是教徒洗礼；当放出一群象征天上来的“圣灵”的鸽子时，几乎全裸的数名男女教徒争先恐后地跳入池中，边往头上撩水边祷告。出池后，有的披上毛毯，有的裹上“土鲁普”(不挂面的羊皮大衣)，进入小卧车，离开式场。

东正教的冰上洗礼仪式，当时世界上只能在哈尔滨看到。

袁庆恩袭职封轴

金　铸

齐齐哈尔市建华区袁家胡同内有清末爱国将领、署黑龙江将军寿山的长子袁庆恩住宅一处。因年久，宅内已无袁姓居住。1982 年 7 月，在住宅正房东窗户上坎，发现民国二年(1913)北京政府大总统授予袁庆恩袭职的封轴一件，现由齐市文物管理站收藏。

封轴全长 477 厘米，宽 34 厘米，复背以宣纸托裱。接有长 22 厘米，宽 34 厘米的深红色绨花织锦包首。自右至左为红、黄、蓝、白、黑五色各长 80 厘米、宽 34 厘米的彩缎。包首左上角处贴有一长6厘米、宽1.5厘米的冷金签，上题“正白旗汉军骑都尉兼一云骑尉袁庆恩袭职封轴”。在红色彩缎上有正书袭封令文，共十一行，行十字，文竖行左读。文曰：

“大总统令：夫时代虽殊，功德弗替，斯国典所宜尊崇也。寿山殉难，应得之骑都尉兼一云骑尉世职，本大总统依待遇满蒙回藏条件第三项，以伊长子袁庆恩兼袭，准再袭三次。其务表率齐民，翊赞治化，以懋厥功，尚敬之哉。

中华民国二年七月十九日”

上钤朱文篆书“大总统印”，印面边长8.7厘米，正方形。

民国改制后，由大总统令袁庆恩承袭其父清朝武职，实属罕见。

刘锡彤曾被遣戍黑龙江

孟宪章

清朝末年，浙江余杭县发生过一起“杨乃武与小白菜”的冤案。其故事虽已广为流传，可是铸成这一起冤案的余杭县知县刘锡彤被遣戍黑龙江的情况，却鲜为人知。

据《黑龙江将军衙门档案》记载，刘锡彤因“误认已死葛品连尸，毒刑逼葛毕氏、杨乃武妄供”，造成冤案。事发后被参革职，发往黑龙江效力赎罪。

刘锡彤在光绪三年(1877)五月间，被遣送到黑龙江，由黑龙江将军衙门派拨到莽鼐卡伦(在江东六十四屯瑷珲河流入黑龙江汇合处之南)值一年苦差，期满后调省，又留在印房当差。至光绪五年，刘锡彤已是七十四岁高龄。他在戍所"办事勤快，不辞劳瘁"。他"年近八旬，筋力就衰，自备资斧当差，深知悔惧，力赎前愆，且居北边严寒之区，只身在戍，惫羸日苦"，而历来"在戍废员，凡有奋勉当差者，均经蒙恩释还"。据此，刘锡彤"虽效力未满三年"，黑龙江将军衙门还是出于怜悯之心，于光绪五年六月，上奏朝廷，请施恩将其释还。

安德海同案犯妇死于黑龙江配所

孟宪章

清末太监安得海，因受慈禧太后宠爱，擅权弄事，胆大妄为。同治八年(1869)七月，安得海以赴江南督办龙衣为名，矫旨出京，乘坐太平船二只，带有男女多人，沿途招摇煽惑。太监私出都门，违背清朝祖制，被山东巡抚丁宝桢参奏，于济南就地正法，其余一干人犯，或处死或充戍，此事正史有载。

安德海一案中，有一犯妇安马氏，原系直隶大兴县民女，因跟随安得海私下江南，被发遣黑龙江为奴。据《黑龙江将军衙门档案》记载，安马氏于同治九年正月被发遣到黑龙江以后，分配到休致协领恩特恒额家为奴。两年以后，即同治十一年十月，奉旨免罪准其回籍。安马氏因“孤身无依，实难只身回籍”，寄信给她在原籍大兴县的次胞兄马二即马玉成，嘱其携带资斧前来接她回乡。黑龙江将军衙门根据安马氏的请求，准其暂留配所，仍在原主人家居住就食，等候其兄来黑龙江领她返籍。可是不知何故，安马氏在黑龙江原主人家等候了五六年，既无音信，也不见来人，光绪四年(1878)阴历二月二十四日，因染病医治无效，死于配所。

章太炎参谒吕祠

谭彦翘

章太炎于民国元年(1912)冬，受袁世凯命出任东三省筹边使。十月十五日到黑龙江省城齐齐哈尔，甫下车，即往城西参谒吕晚村(留良)祠堂(吕氏故宅在齐市建华区二西道街，今尚存，惜“姜水宗风”旧榜已失)，吕氏家族齐集欢迎。

吕晚村卒于清康熙二十二年 (1683)。雍正初，因曾静案与子葆中(时亦下世)尽被戮尸枭示，孙辈均被发遣宁古塔给与披甲人为奴。至乾隆二年(1737)得旨可随旗当差(时俱分编入旗)，遂得各自谋生。迄乾隆四十年(1775)，其孙吕懿兼，曾孙吕敷先以捐纳监生事又复得罪，与家属俱发黑龙江给与披甲之人为奴。从此，齐齐哈尔即有吕氏后裔繁衍绵延。他们为清律所限，不得仕进，即或学业有成，辄亦转而经商，故以资雄于塞上。闻老字号涌巨广油坊即为吕氏后代所经营。

章氏参谒吕氏祠堂后，在其所著《书用晦事》中记吕氏云："……后裔多以塾师、医药、商贩为业，土人称之为老吕家。虽为台隶，求师者必于吕氏，诸犯官遣戍，必履其庭。故土人不敢轻，其后裔亦未自屈也。初开原、铁岭以外，皆故胡地，无读书识字者，……齐齐哈尔人知书，由吕用晦后裔谪戍者开之。"对吕氏后裔将中原文化传播到边疆的功绩很是称颂。

任辅臣与苏联红军的中国团

王国材　金　秋

1987 年 10 月，苏共中央、苏联最高苏维埃发来电函：邀请任辅臣烈士之子任栋梁夫妇，赴苏参加十月革命七十周年盛典。

任辅臣(1884—1918),辽宁奉天(今沈阳)人。1914年在中东铁路工作。为人正直聪明,通晓俄语,经常接触沙俄军队中的革命党人。是苏联共产党的早期党员。

1916年初,俄国阿拉伯耶夫斯克工厂来奉天招工1203人。为保护华工利益,按北洋军阀政府《募工章程》规定,派任辅臣以"通商事务委员"身份,前往俄国担任彼尔姆及维亚特卡省华工事务主持人。任到俄后,工作认真,能听取群众意见,在华工中享有很高威信。其间,同巴甫洛夫交往密切,与布尔什维克地下党有秘密联系。

十月革命后,苏联国内战争开始,任辅臣向当地市尔什维克组织提议组织华工参加红军部队,并同华工郭万军、阚辛武、张清箫等人着手组建红军"中国团"。阿拉伯耶夫斯克、彼得姆、纳杰什乌金斯克、南乌拉尔等地华工热烈响应,积极参加"中国团"。任辅臣为该团的主要领导人。

"中国团"成立后,在保卫阿拉伯耶夫斯克矿区战斗中,首战告捷,将该矿区白匪军一举全歼,受到了上级表扬。接着在冷索沃依参加了夺取铁路桥的激战,重创白匪军,夺得了具有重要战略意义的铁路桥。此后"中国团"战无不胜,威震敌胆。

1918年11月底,东方战线局势恶化。白匪集结了五万余兵力,切断了铁路运输线,限制了

红军铁甲车的行动，对维亚车站发起强攻，“中国团”陷敌重围。任辅臣率领全团战士浴血奋战，在突围中与全团战士一起光荣牺牲。

1918 年底，列宁在克里姆林宫亲切地接见了任辅臣的夫人张含光，称赞任辅臣是优秀的布尔什维克党员，同时高度评价了中国工人阶级的国际主义精神。

薛子奇哈尔滨办报

林　怡

有一位名薛醒吾者曾于 1929 年在哈尔滨道里大安街四十四号，创办《东华日报》。

薛某原来是“洪宪十三太保”之一，“臣记者”薛大可。1930 年 7 月 8 日，该报刊载薛撰写的《新闻记者的品格》一文，盛赞欧美日本新闻记者如何高尚，彼邦报界如何历练，而我国舆论如何幼稚，复狂言辱骂哈尔滨各报“新闻记者全是穷极无聊、心无点墨、狗屁不通之辈，以及无赖下流，皆得以新闻记者自居”。并说“狗屁不通”的记者居多，“譬之有行至狗国”云云。

这篇奇文立即引起哈尔滨各界大哗，各报纷纷刊文抗议和驳斥。驳文中把“譬之有行至狗国”一句，说是薛故意把哈尔滨称为狗国，侮辱全市人民。于是署名“哈尔滨公民”的来件纷纷斥责“洪宪余孽”薛子奇“罪在不赦”。

还有来函指出，薛主办的《东华日报》，自“出版以来，每日除报头外，余稿完全照《东三省商报》版排印”。他同时出版的俄文《东华日报》报头虽注明汉文“东华”二字，但俄文报头只有“活斯托克”，汉译仅为一个“东”字。因此有的通讯社专稿讪笑他：原来薛子奇竟“不识俄文为何物”！

薛子奇一触即跳，于7月12日在《东华日报》上发表声明，指责各报“主持人滥用发行权，每日连篇累版登载攻击私人”，“实为对于社会之大不敬”。特别提出哈尔滨报界公会“侵害”了他的名誉，“毁损”了他的信用。声明中还列举刑法有关条文，扬言依法当判处有期徒刑多少年，借以吓人。

就在薛子奇发表声明当天，东省特别区警察总管理处奉张学良之令，派警察查封了《东华日报》。

一帧照片的风波

刘 炎

1964年，我和赵篱东老先生去哈尔滨轴承厂采访，住在工厂招待所里。晚间没事闲聊，赵老讲起他伪满末期在《大北新报》当副刊编辑时，亲身经历的一段趣事，听起来令人忍俊不禁。虽然其年月日、主人公姓氏记不住，但故事梗概却常记不忘。兹志于此，以飨读者：

某日，报馆接到紧急通知，说有一位显赫的皇军司令官要莅临哈市视察，要求报馆派得力记者前去恭迎采访，翌日凌晨见报，要发头版头条消息，要大字醒目标题，并配发一帧司令官阁下的四寸半身照片，不得有误云云。报馆负责人哪敢怠慢，自然一一照办了。

第二天早上，报纸早早印出来，发出去了。当我们上班后看报时，突然有人惊叫起来："哎呀，出事了！"众人仔细一看，无不瞠目结舌，惊诧不已。原来，堂而皇之的司令官阁下的那幅凶相毕露的肖像，竟魔术般地变幻成一个千娇百媚、妖艳风骚的妓女的倩影。

这真是举世稀有的奇闻，滑天下之大稽的笑话！这不是詈司令官阁下的祖宗吗？且不仅对他本人，就是对大日本帝国来说也是个莫大的嘲弄啊！不过，对中国人来说，在讥笑声中却也解了一点心头之恨。同事们猜测，可能是有人为了发泄久郁在心的民族仇恨而有意制造的报复；也许是由于夜间某些人的疏忽大意，错把两块一般大小的照片锌板弄颠倒了。不管怎么说，这事可闹扯大了。

果然，不大功夫，街面上开始混乱起来。警笛声声，军警宪特们吆喝着到处追赶报贩子收缴报纸。一辆辆警车、摩托车风驰电掣般地向报馆开来,军警们呼啦啦把报馆团团围住。宪兵、特务们把报馆里里外外搜查个遍,对职员和工人们逐个地审问盘查,折腾了大半日,什么也没查出来,只好责怪当事人失职,严厉地训斥一顿,勒令全体职员每人写一份始末书(即今之检讨书)。一场轩然大波,就此不了了之。

壬申年哈尔滨大水

乔德昌

日本帝国主义侵略东北后的1932年,松花江发生大水,8月7日洪水涌进哈尔滨市。据当时的中东铁路督办李绍庚记述:"8月7日傅家甸(今道外区)濒江石堤为水冲毁,纷纷溃决。浊流汹涌,庐舍为墟,繁盛市场,顿成泽国。至翌日顾乡屯受水浸灌,道里全市亦遭波及,旱地水深数尺,低洼之处,水深逾丈。人民荡析离居,啼饥号寒,惨不忍睹。"据1934年伪"哈尔滨清理水灾善后委员会"编辑的《壬申哈尔滨水灾纪实》中记载,全市被水淹漫面积八百七十七点五万平方米。受灾难民达20余万人(当时哈尔滨市居民三十八万)。由于水灾、饥饿,导致瘟疫蔓延,使2万余人丧生。哈尔滨市直接损失伪币四千余万元,加上间接损失,共核伪币二亿元以上。

大水发生时,日伪政府事前毫无准备,慌恐

万状。当时身为东省特别区行政长官的张景惠，在哈尔滨市被洪水侵吞之时，于8月9日下午率领极乐寺十几名僧侣，抬着猪羊等祭品，在道里区炮队街(今通江街)江岸鸣放鞭炮，烧香诵经，祷告上苍，祈求龙王免灾。

高成儒欠孙运璇三百元

马维权

高成儒，1906年生，山东省栖霞县人。解放后，从事技术工作，任哈尔滨铁路局研究所高级工程师。80年代加入民革。1987年去世。他1925年在哈尔滨工业大学念书时，已经是中共党员。当时国共合作，中共中央要求党、团员帮助国民党建立地方组织，于是中共第一任哈尔滨市委书记吴丽石帮助国民党建立了国民党哈尔滨党部，高成儒等党、团员便成了跨党党员。孙运璇这时也在哈工大读书，与高成儒不同班，但同气相求，是接触很多的学友。

抗战期间，高成儒从敌人的监狱里出来，失掉了组织关系，流亡关内，在贵阳不名一文，正走投无路，饥肠辘辘地在街上徘徊时，忽然有人招呼他，原来是孙运璇路过此地去重庆。孙运璇慷慨解囊，将随身带的三百元钱全部给了高成儒，以解他的燃眉之急。从此二人天各一方。

四十年过去了,孙运璇当了台湾当局“行政院长”,高成儒才知道故人仍然健在。惟海天相隔,音问阻绝,从此他多了一重心事,不断念叨:“我还欠他三百元呢! ”

高先生晚岁与余有忘年交,遂得亲聆其语。炎黄子孙竟阻于樊篱,睽违终生。嗟夫!

呼兰县赈济日本地震灾民

王化钰

民国十二年(1923)8 月,日本国内发生了强烈的地震,房屋倒塌,死伤惨重。消息传来后,东三省保安总司令张作霖,饬令奉(辽宁)吉(吉林)黑(黑龙江)三省先行筹集垫款五十万元,购买粮食、衣物、药品,赈济日本受地震灾害的难民。

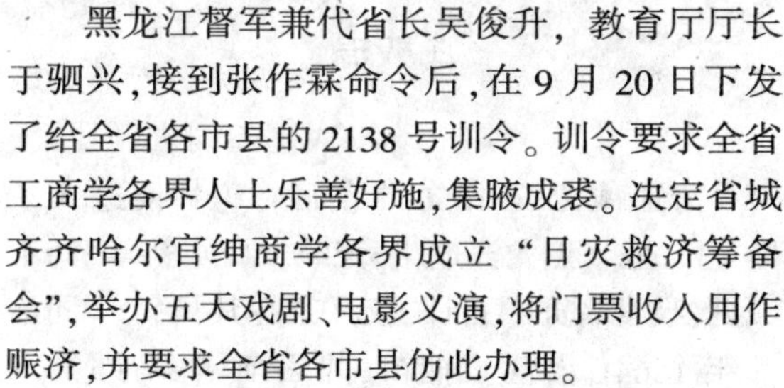

黑龙江督军兼代省长吴俊升, 教育厅厅长于驷兴,接到张作霖命令后,在 9 月 20 日下发了给全省各市县的 2138 号训令。训令要求全省工商学各界人士乐善好施,集腋成裘。决定省城齐齐哈尔官绅商学各界成立 “日灾救济筹备会”,举办五天戏剧、电影义演,将门票收入用作赈济,并要求全省各市县仿此办理。

呼兰县知事路克遵, 接到省长公署训令及绥海镇守使署命令后, 于 10 月 23 日召集绅商各界开会,也成立“救济日灾筹赈会”,并决定从

10月24日起举办五天戏剧义演,邀请哈尔滨市京剧、评弹艺人来呼兰,在桂花茶园义演,赈济日本地震灾民，一时前往购票看戏的人盛况空前,场场爆满,座无虚席。五天义演共收入哈大洋七万零五十九元一角五分，江钱一千零三十六吊七百文。呼兰商会各商铺三天内捐款七万一千九百一十五元,江帖一千余吊,总计全县捐款十四万一千九百七十四元一角五分，江钱二千一百吊。捐款数居东北三省之首,充分表达了中国人民对日本人民的深情厚谊。

可是,谁能料到,就在东三省广大人民群众解囊相助、赈济日本灾区后之第八年，即1931年9月18日，日本军国主义分子悍然制造了“九一八”事变。

名禁实纵的“禁烟”

庄殿瑞

清道咸之交(1850年前后),鸦片便进入了黑龙江省。《黑龙江述略》记载:“咸丰初年,尚不经见,吸食者亦颇自讳,仅几家有其具矣。”同治二年(1864),出现了烟馆,并逐渐增多;同治三年,已有兵丁吸食。不过二十年,日旺一日,“而在官人为尤甚”。清朝和民国的黑龙江当局一直是严令禁烟,但屡颁禁令均未奏效。

光绪十一年(1885)一月廿七日,黑龙江将军文绪和齐齐哈尔副都统禄彭为禁止吸食鸦片,在省城齐齐哈尔设立禁烟总局,在呼兰等地设立分局,实行抽收鸦片税,凡落地烟土只要缴纳税收,即可自由买卖。开办一年,抽收税银一千八百九十点七两。实际上是把鸦片当成了高利税商品。

民国十年(1921),北洋政府特派赵宪章为黑龙江省查勘禁烟大员,开始似乎决心不小,可是在查禁中,警察厅却规定,对查获鸦片案犯罚没款,提赏六成,扣留二成。民国十三年7月至10月,罚没款总计为十万零二千七百四十四吊(江钱),提赏六万一千六百四十六吊,扣留一千二百三十二吊。当时十六吊江钱折合一银元,四个月警方即额外收入了三千九百零五块银元。如此,当政者怎么肯自毁财源?

民国十五年4月20日,张作霖为加强其封建割据的军事实力,密令"吉、黑两省开禁栽种鸦片,设局专卖,以所征烟税,全归军用"。黑龙江省督军兼省长吴俊升得令后,知有利可图,便委任亲友或旧部执掌省、县禁烟总局和分局大权。一时全省罂花遍地,烟馆林立,成癖成瘾者与日俱增。于是又在全省城镇大办禁烟药店,仅齐齐哈尔二、三区警察署界就有禁烟药店五十七家。办理此种营业许可证,甲等月收费一百四十元,乙等月收费一百元,丙等月收费六十元,丁等月收费三十元;民国十七年4月1日起又一律加收四成。

如此禁烟禁了七八十年，禁者自禁，吸者自吸，贩毒者吸毒者只见增多，不见减少！

双城花子房

马亚川

乞丐亦称“花子”，是旧社会流落街头以乞讨为生的无业游民。清光绪二十年(1894)双城县城西南隅的富翼长(今同心)胡同里，设有一处“花子房”。油漆红大门上悬挂着金字牌匾“双城厅乞丐处”。院内中间有二门，里边有正房五间，东西配房各二间，画栋雕梁，很是美观。外院有东西草房各五间，矮檐纸窗，一明两暗，对面火炕，是花子食宿的地方。屋中花子满堂，衣衫褴褛，拥挤不堪，臭气弥漫，令人作呕。

花子房第一任头头叫张祥，旗人，是官府委派的。张祥在官兵协助下，将城乡花子均收容到此。官府称张祥为“乞丐处长”，又名“灯政司”(灯官)。花子房里供奉着花子的祖师范丹。

据传范丹又名范冉。东汉陈留外黄(今河南杞县东北)人，字史云，马融弟子。通五经。桓帝时，任其为莱芜长，不就。生活极贫，有时绝粮，被称为“甑中生尘范史云，釜中生鱼范莱芜”。

被收容进来的花子得先“拜祖师”，行三拜

九叩礼。然后“拜杆”，就是拜花子头手中持的“杆儿”。这“杆儿”是花子头的印把子，拜了“杆儿”，就得服管。如不服管，打死勿论。“杆儿”系木制，长二尺，上黑下红，下边缚有半尺长的皮鞭。

花子房的烧柴，向进城卖柴草的乡民抽份，每车抽一捆。双城四门，都有花子把守，持长钩自向车上钩取。花子房每月编造花子名册，到商会领米，每人每月一斗。花子的衣帽鞋袜，每年从军警缴销的旧衣帽中拨用。城内四大街均有花子巡逻队，发现散乱花子，强制收容。花子被收容后，逃离者必受严惩，直至打死。

1941 年张祥死后，由张祥的义子关福吉继任花子头。关福吉外号关傻子，在戏班里跑过龙套。他受过张祥的衣钵真传，生就一副滑稽相，颇得通判和商会会长的欢心。

商会规定农历每月初一、十五日为花子行乞日。届时，花子头把花子放出来，让他们沿大街小巷去讨要，哀声载道，惨不忍闻。花子讨到的钱物都得交给花子头。

花子头除每月多报人数领取秫米出卖外，日常也不给花子们饱饭吃。到了冬天，每天都有忍饥挨冻的花子死亡，有时一天竟死十几名。花子死后垛在花子房后院，春暖时运到鬼王庙埋入万人坑里。

关福吉死后，张兴邦继任花子头。直到 1946 年，双城解放，花子房才告解散。

后　记

中央文史研究馆为弘扬民族文化，治学治史，鼎力主持编纂出版《新编文史笔记》丛书。黑龙江省文史研究馆编辑的黑龙江分册《黑土金沙录》，是丛书中的一册。

展卷回首龙江百年，油油黑土，浩瀚资源，沙俄虎视，倭寇鲸吞，饱受侵略，历尽沧桑。黑土百姓不甘亡国为奴，前仆后继，忠烈义举足以感天地，泣鬼神，此主旋律遍及民间、政海、文坛、艺苑，亦时代大波之使然。我省地处边陲，开发虽晚，但中原文化影响强大，当地各民族文化源远流长，又加俄日文化长期渗透，形成了诸多具有地方特色的文化观象。编辑此书之宗旨，乃点点滴滴，集腋成裘，力求从各个方面各个角度，再现当年风貌，烛幽发隐，见微知著，雪泥鸿爪，以启后人。

编辑此书，我馆人单力弱，学识荒落，难为

无米之炊。全赖广开贤路，多方征集，聘请贤达，荟萃士林。承省地方志办公室、齐齐哈尔市地方志办公室及各市县地方志办公室大力协助，征集到各类稿件六百八十八篇，从中选出一百三十篇编入本书。其中有亲见、亲闻、亲历的珍贵史料，也有虽非“三亲”者，但皆系言之有故，间有新意，信而有征，值得一读。

参与本书编辑工作的，尚有特邀编审李家兴、刘民声、孟宪章、崔喜林、谭彦翘、蔡田、董万伦、杜确、卢成梁及本馆馆员杨治兴、工作人员赵江平等。

编　者